鋼の錬金術師

FULLMETAL ALCHEMIST

11

荒川弘《あらかわひろむ》

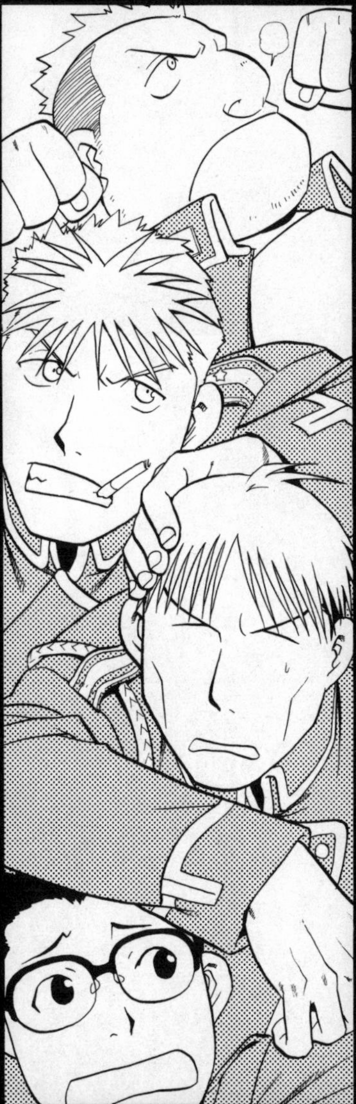

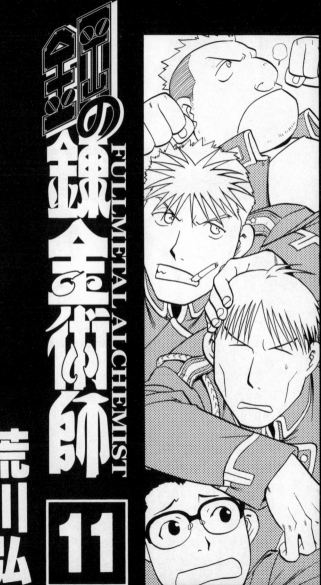

アルフォンス・エルリック

Alphonse Elric

エドワード・エルリック

Edward Elric

アレックス・ルイ・アームストロング

Alex Louis Armstrong

ロイ・マスタング

Roy Mustang

OUTLINE
FULLMETAL ALCHEMIST

エドワードとアルフォンスの兄弟《きょうだい》は、
幼《おさな》き日《ひ》に喪《うしな》った母《はは》を錬金術《れんきんじゅつ》により蘇《よみがえ》らせようと試《こころ》みる。
しかし、錬成《れんせい》は失敗《しっぱい》しエドワードは
左足《ひだりあし》と弟《おとうと》のアルフォンスを失《うしな》ってしまう。
なんとか自分《じぶん》の右腕《みぎうで》を代償《だいしょう》にアルフォンスの魂《たましい》を錬成《れんせい》し、
鎧《よろい》に定着《ていちゃく》させる事《こと》に成功《せいこう》するが
その代償《だいしょう》はあまりにも高《たか》すぎた。
そして兄弟《きょうだい》はすべてを取《と》り戻《もど》す事《こと》を誓《ちか》うのだった…。

鋼の錬金術師
FULLMETAL ALCHEMIST

CHARACTER
FULLMETAL ALCHEMIST

■ウィンリィ・ロックベル
Winry Rockbell

■スカー
Scar

■グラトニー
Gluttony

■キング・ブラッドレイ
King Bradley

■リン・ヤオ
Lin Yao

■メイ・チャン
May Chang

CONTENTS

ええ!? 兄《にい》さん まだ リゼンブールに 行《い》ってないの!?
「まだ」ってなんだい 何《なに》かあったのかい
困《こま》ったな… 宿泊費《しゅくはくひ》が 尽《つ》きかけてるし 腕《うで》も治《なお》してほしい のに…
なぬ!?
ちゃんと払いますから!!
ああ そうだ アル!
大変《たいへん》だよ!
何《なに》?
エドは帰《かえ》って 来《き》てないけど…
…え……?
父《とう》さんが……?

第《だい》42話《わ》
墓《ぼ》前《ぜん》の父《ちち》

FULLMETAL
ALCHEMIST

ホーエンハイム……
ヴァン・ホーエンハイムか!!
エド…ワードか?
ビョオオ
オオ
オ
オオ

大《おお》きく…なったな？
なんで疑問形《ぎもんけい》なんだよ
中央《セントラル》あたりで有名《ゆうめい》だぞおまえ
史上最小《しじょうさいしょう》国家錬金術師《こっかれんきんじゅつし》だって？
最年少《さいねんしょう》だッツ
ピナコに聞《き》いたぞ
人体錬成《じんたいれんせい》したって？
〜〜〜〜…
てめぇ今頃《いまごろ》どの面《つら》下《さ》げて戻《もど》って来《き》た!!
親《おや》にむかっててめぇとはなんだよ
てめぇなんざてめぇで十分《じゅうぶん》だ！
母《かあ》さんの墓《はか》の前《まえ》じゃなかったら殴《なぐ》ってるところだ
なんで死《し》んだ…
トリシャ…
なんでもクソもあるか!!てめぇが苦労《くろう》させたせいだ!!

もう少《すこ》し なんだ… もう少《すこ》し…
ああ!? もう少《すこ》しって まだ苦労《くろう》かける つもりだったのかよ!!
約束《やくそく》 したのに…
女手《おんなで》ひとつで どんだけ 頑張《がんば》ったか わかってんのか!!
トリシャ…
俺《おれ》を 置《お》いてくなよ…
ぶつ ぶつ
置《お》いてったのは てめーだ!
…って 会話《かいわ》が かみ合《あ》ってない!!
宇宙人か!!
今更帰《いまさらかえ》って 来《き》たところで てめーの居場所《いばしょ》は 無《な》いんだよ!!
何《なに》しに 帰《かえ》って来《き》た!!
そうだ… 俺《おれ》の家《いえ》…
なんで 焼《や》いて しまったんだ
何《なに》も…
何《なに》ひとつ 残《のこ》ってないじゃ ないか
もう 後戻《あともど》りしないと 決《き》めた
帰《かえ》る家《いえ》は 無《な》くていい
あれが オレ達《たち》の覚悟《かくご》だ
ちがうな

自分《じぶん》の過《あやま》ちを
その跡《あと》を見《み》たくないからじゃないのか
嫌《いや》な思《おも》い出《で》から逃《のが》れるためか？
自分《じぶん》がしでかした事《こと》の痕跡《こんせき》を消《け》したかったのか？
……ちがう！
寝小便《ねしょうべん》した子供《こども》がシーツを隠《かく》すのと一緒《いっしょ》だ

逃《に》げたな
エドワード
てめぇに何《なに》がわかる!!!
わかるさ
……てめぇと喋《しゃべ》ってると胸《むな》クソ悪《わる》くなってくる!!
墓参《はかまい》りに来《き》たんじゃないのか
こんな荒《すさ》んだ気分《きぶん》でできるか!
付《つ》いて来《く》んな!!
ピナコん家《ち》に帰《かえ》るんだろ?
俺《おれ》もそっちなんだからしょうが無《な》いだろう

……髪《かみ》
伸《の》ばしてるのか
おそろいだ
ばば
ばばばっ
ぎっ
ズン
ズン
ズン
……俺《おれ》の若《わか》い頃《ころ》に
そっくりだな

パタン…
人体錬成《じんたいれんせい》なんて…
なんで誰《だれ》もあいつらを叱《しか》ってやらなかったんだ
あの状況《じょうきょう》で叱《しか》れるものか
………
どうやって叱《しか》っていいのかわからん
あんた親《おや》だろ叱《しか》ってあげなよ
なんで電話《でんわ》の一本《いっぽん》も入《い》れてやらなかった!
トリシャはずっと待《ま》ってたんだよ!

あの子《こ》らだって父親《あんた》がいれば母親《トリシャ》を作《つく》ろうなんて思《おも》わなかっただろうに!
かわいそうに
あの子《こ》らは母親《ははおや》の死《し》を二度《にど》見《み》てしまったんだよ
母親《ははおや》を作《つく》る…か
とととととと
…ピナコ
あいつらが人体錬成《じんたいれんせい》で失敗《しっぱい》してできたものの後片付《あとかたづ》けしてくれたのはおまえだったな
ああ
本当《ほんとう》にそれはトリシャだったのか?

言《い》っただろ人《ひと》の形《かたち》をしてなかったって
あれをトリシャとはとても…
そうじゃなくて
たとえば瞳《ひとみ》の色《いろ》…
声《こえ》………
髪《かみ》の色《いろ》…
…どういう事《こと》だい？
あれはトリシャじゃなかった……？
全《まっ》く関係無《かんけいな》い物《もの》を作《つく》ってあの子《こ》らは身体《からだ》を持《も》ってかれたって言《い》うのかい⁉
そんなひどい話《はなし》があるかい‼

コケー
コケコー
エド!まだ寝《ね》てんのかい!?
親父《おやじ》さんが出《で》ちまうよ!!
起《お》こして来《こ》ようか?
いいよ
もたもたしてたら汽車《きしゃ》に遅《おく》れる
世話《せわ》になったな

この写真《しゃしん》もらってっていいか?
どれでも好《す》きなだけ持《も》って行《い》きな
いやこれ一枚《いちまい》でいい
四人《よにん》で撮《と》ったのこれしか無《な》いんだ
ピナコ…おまえやっぱりいい奴《やつ》だな
昔《むかし》から何《なに》ひとつ変《か》わらない俺《おれ》を不審《ふしん》な目《め》で見《み》る事《こと》も無《な》く昔通《むかしどお》り接《せっ》してくれた
お礼《れい》にいい事《こと》を教《おし》えてやるよ
?

じきに酷《ひど》い事《こと》がこの国《くに》で起《お》こる
今《いま》のうちによその国《くに》へ逃《に》げとけ
…この国《くに》は年《ねん》がら年中《ねんじゅう》酷《ひど》い事《こと》だらけさ
なんで今更《いまさら》逃《に》げなきゃならないんだい
それにここを帰《かえ》って来《く》る場所《ばしょ》にしてる奴《やつ》らがいるんでね
………忠告《ちゅうこく》はしたぞ

ホーエンハイム！
たまにはご飯《はん》食《た》べに帰《かえ》っといでよ
残念《ざんねん》だよピナコ
もうおまえのメシが食《く》えなくなるなんて

カラ カラ カラ カラ カラ
父親《ちちおや》？
そう
もう十年位《じゅうねんくらい》行方《ゆくえ》不明《ふめい》だった父《とう》さんが今《いま》田舎《いなか》に戻《もど》って来《き》てるみたい
会《あ》いに行《い》かなくていいのかイ？
うーん…会《あ》っても何話《なにはな》していいかわかんないや
嫌《きら》いなのカ？
嫌《きら》い…とはちがうな
嫌《きら》おうにも記憶《きおく》にあんまり無《な》いから
でも錬金術《れんきんじゅつ》の話《はなし》はしたいな
父《とう》さんの残《のこ》してった蔵書《ぞうしょ》を見《み》る限《かぎ》りかなりできそうな人《ひと》だったから…
——ってあ———…
？

きっと
兄《にい》さんの事《こと》だ
父《とう》さんに無駄《むだ》に反発《はんぱつ》して錬金術《れんきんじゅつ》の話《はなし》なんてこれっぽっちもしないにちがいない
最悪《さいあく》ぶん殴《なぐ》ってるかも………
あーやりそゥ
容易《ようい》に想像《そうぞう》できるわね………
リンはお父《とう》さんと仲《なか》いいの？
………仲《なか》いいも何《なに》モ
会話《かいわ》した事《こと》無《な》いナ
ごっ…ごめん……訊《き》いちゃいけない事《こと》だった？
えーと…ご愁傷様《しゅうしょうさま》？
なんか勝手《かって》に俺《おれ》の人生《じんせい》想像《そうぞう》してなイ？
……
相手《あいて》は皇帝《こうてい》なんだヨ
気易《きやす》く話《はな》せる相手《あいて》じゃないねェ

…シン国《こく》の？
そウ
じゃあ
リンって
皇子様《おうじさま》？
ふぁさ…
そウ
皇子…
皇子《プリンス》!!
ランファン
俺《おれ》はバカに
されてるんだろうか
こいつら
殺《ころ》していいですか
普通《ふつう》ここは
驚《おどろ》くところでハ？
ぶ
ぶ
ぶ
や
ごめん
あまりにも
あまりだから
………

だからね ほら 俺《おれ》のお嫁《よめ》さんに なれば将来《しょうらい》 皇后様《こうごうさま》ヨ？ 玉《たま》の輿《こし》ヨ？
ほー ほーーー
どうだろ ウィンリィちゃん ひとつ嫁《よめ》ニ…
だめよぉ この国《くに》には機械鎧技師《あたし》を必要《ひつよう》としてくれる人《ひと》がいるからぁ♡
そーかあ あはははハ♡
若《わか》ーーッ!!
ガッ
ギャ
…にしても 皇子《おうじ》が 行《い》きだおれたり ご飯《はん》たかったりって どうなの
まぁ 確《たし》かに ありがたみ 無《な》いなァ
プリンス…
皇子《おうじ》っても 20人《にん》以上《いじょう》 いるしナ
正式《せいしき》には 皇子《おうじ》24人《にん》 皇女《おうじょ》19人《にん》 でス
シンは 50からの 少数民族《しょうすうみんぞく》が 集《あつ》まって できている国家《こっか》ダ
その各民族《かくみんぞく》の 首長《しゅちょう》の娘《むすめ》が 皇帝《こうてい》の妾《めかけ》として 召《め》し上《あ》げられて 皇帝《こうてい》の子《こ》を産《う》ム

俺《おれ》の母《はは》は
ヤオ族代表《ぞくだいひょう》として
皇帝《こうてい》に嫁《とつ》いで
俺《おれ》を産《う》んダ
俺《おれ》は皇帝《こうてい》の
第十二子《だいじゅうにし》に
あたル
十分《じゅうぶん》に次《つぎ》の
皇帝《こうてい》の座《ざ》を
狙《ねら》える位置《いち》に
いるんダ
じゅ………
相続権《そうぞくけん》とか
どうなんの？
そう
正《まさ》に今《いま》
直面《ちょくめん》している
問題《もんだい》ダ
皇帝《こうてい》が
最近病《さいきんやまい》に
臥《ふ》せっていてネ
どうやら
先《さき》は
長《なが》くない
ようダ
今《いま》シンでは
各族《かくぞく》
覇権争《はけんあらそ》いの
潰《つぶ》しあいが
始《はじ》まっていル
どいつもこいつも
皇帝《こうてい》に引《ひ》き立《た》てて
もらおうと
躍起《やっき》になってる
ところダ
そっか…自分《じぶん》が
死《し》にそうだから
不老不死《ふろうふし》に
すがる…
…と…

あれ？
でも
不《ふ》老《ろう》不《ふ》死《し》の法《ほう》を
持《も》ち帰《かえ》っちゃったら
現皇帝《げんこうてい》が
死《し》ななくなるって
事《こと》だから…
リンには
いつまでたっても
玉座《ぎょくざ》がめぐって
来《こ》ないじゃない
ねえ
今《いま》の皇帝《こうてい》は
先《さき》が長《なが》くないって
言《い》ったロ
「不《ふ》老《ろう》不《ふ》死《し》の法《ほう》
らしき物《もの》」を
持《も》ち帰《かえ》って
一時的《いちじてき》に喜《よろこ》ばせて
やればいイ
生《い》きてるうちに
俺《おれ》の一族《いちぞく》の地位《ちい》を
少《すこ》しでも
引《ひ》き上《あ》げてもらウ
あとは自分《じぶん》で
玉座《ぎょくざ》をぶんどル
俺《おれ》はヤオ族《ぞく》
50万人《まんにん》の
命運《めいうん》を握《にぎ》って
この国《くに》に来《き》タ
賢者《けんじゃ》の石《いし》と
それにまつわる
伝説《でんせつ》を頼《たよ》りにネ
そして
君《きみ》の身体《からだ》の
秘密《ひみつ》を知《し》っタ

鉄《てつ》の身体《からだ》に
魂《たましい》の定着《ていちゃく》…
滅《ほろ》びる肉体《にくたい》の
無《な》い君《きみ》は
不老不死《ふろうふし》に
一番近《いちばんちか》イ
は…
ははははは！
無駄《むだ》だよ
リン
？
不老不死《ふろうふし》どころか
まっとうな人並《ひとな》みの
人生分《じんせいぶん》も
あやしいもんだ

時限爆弾《じげんばくだん》付《つ》きなんだよ
この身体《からだ》
ざわ ざわ
ざわ
ざわ ざわ
三番窓口へおねがいします
ドガッ
よう
やあ どこか悪《わる》いのか
腰痛《ようつう》
鑑定医《かんていい》ってのは立《た》ちっぱなしで年寄《としよ》りにゃこたえる

ぼそ
あれを焼《や》いたのがおまえさんだと聞《き》いてピンときたよ
何《なに》企《たくら》んでる
ぼそ
…企《たくら》んでるとわかっててあれをロス少尉《しょうい》と断定《だんてい》したのか
言《い》ったはずだぞ「もう少《すこ》し上手《うま》く焼《や》け」ってな
焼死体《しょうしたい》にしては腕《うで》の角度《かくど》がおかしかった
歯型《はがた》が一致《いっち》したから一応《いちおう》ロス少尉《しょうい》本人《ほんにん》としたがな
鑑定医《かんていい》が俺《おれ》じゃなかったら危《あぶ》なかったかもしれんぞ
ロス少尉《しょうい》が脱走《だっそう》した日《ひ》に軍《ぐん》の工場《こうじょう》で大規模《だいきぼ》な火災《かさい》があっただろう

かなりの数《かず》の焼死体《しょうしたい》が出《で》たからな
Central Times
焼死体《しょうしたい》に詳《くわ》しい貴方《あなた》が詰《つ》めているとふんだ
…あきれるな
イシュヴァール以来《いらい》会《あ》ってない俺《おれ》をアテにしたのか
戦友《せんゆう》だからな
ちっ
「戦友《せんゆう》」なんてユルい仲《なか》かよ
懐《なつ》かしいな
おまえさんが焼《や》いて俺《おれ》が解剖《かいぼう》
イシュヴァールは巨大《きょだい》な人体実験場《じんたいじっけんじょう》だった

戦友《せんゆう》なんかじゃねえ
共犯者《きょうはんしゃ》だろ
ノックスさーん
はいよ
あんまり危《あぶ》なっかしい綱渡《つなわた》りしてるといつかしっぺ返《がえ》し喰《く》らうぞ
ぐきっ
…もう喰《く》らってしまった

脊髄解剖学《せきずいかいぼうがく》……
誰《だれ》か やられたのか
部下《ぶか》が 脊髄損傷《せきずいそんしょう》で 下半身不随《かはんしんふずい》だ
なんとか ならない だろうか
程度《ていど》によるが 脊髄《せきずい》ねぇ…
兵役復帰《へいえきふっき》は 難《むずか》しいだろうな
ジ……
わ—
あははは

ハボ
灰《はい》
あー……
せっかく一日《いちにち》一本《いっぽん》だけ許可《きょか》もらったのに…
ちゃんと逃《に》がしてやったか?
ああ ぬかり無《な》い
さっき報告書《ほうこくしょ》を大佐《たいさ》に渡《わた》して来《き》た
少《すこ》しは状況《じょうきょう》が動《うご》きそうだ
そうか
よかったよ

……足《あし》
動《うご》かないのか
ああ
は……「女《おんな》に刺《さ》されて退役《たいえき》です」なんて笑《わら》えるよな
鋼《はがね》の大将《たいしょう》みたいに機械鎧《オートメイル》にはできないのか?
下半身丸々《かはんしんまるまる》神経信号《しんけいしんごう》が途切《とぎ》れてるから無理《むり》だとよ
…ねェよ
あ?

おめえに隠居生活《いんきょせいかつ》なんて似合《にあ》わねぇよ！
大佐《たいさ》
報告書《ほうこくしょ》読《よ》んでいただけましたか
いやまだだ
ハボックの足《あし》の事《こと》ですが
ドクター・マルコーがいます

医療系《いりょうけい》錬金術師《れんきんじゅつし》で
賢者《けんじゃ》の石《いし》を持《も》っている！
俺《おれ》の休暇《きゅうか》
延長《えんちょう》
ききますか？
どうとでも
してやる
——行《い》け！
いでっ…
いでででっ…
ほら
これで終《お》わり
よくがまん
したね

マウロ先生《せんせい》ありがとう
気《き》を付《つ》けるんだよ
さて休憩《きゅうけい》にするか…
コン
コン
コン
先生《せんせい》！
マウロ先生《せんせい》
はい……
！
…軍《ぐん》の方《かた》がなんの用《よう》ですかな
マウロ…
否《いや》さドクター・マルコー
お迎《むか》えに上《あ》がりました

人違《ひとちが》いです
私《わたし》は…
しらばっくれないでいただきたい
あなたは賢者《けんじゃ》の石《いし》を作《つく》っていたドクター・マルコーだ
なんの話《はなし》だかさっぱりわからん 帰《かえ》ってくれ
…!!

おっと!!
何《なに》する気《き》だい ドクター
旧友《きゅうゆう》が 訪《たず》ねて来《き》たのに その態度《たいど》は ないでしょ
ま… まさか おまえは…

久《ひさ》しぶりだね ドクター
覚《おぼ》えててくれて 嬉《うれ》しいよ
この前《まえ》は ラストが世話《せわ》に なったそうだね
ふん… 話《はなし》どおり しみったれた 診療所《しんりょうじょ》だ
軍《ぐん》にいればもっと 充実《じゅうじつ》した実験室《じっけんしつ》が 与《あた》えられるってーのに 何《なに》を好《す》き好《この》んで…
くんくん
ラスト…
ラストの においが する…
何《なに》しに 来《き》た……!!

そう
こわい顔《かお》しなさんな
取《と》って食《く》おうって訳《わけ》じゃないんだからさ
実《じつ》は最近《さいきん》手駒《てごま》が少《すく》なくなっちゃって困《こま》ってんだよね
また一緒《いっしょ》に働《はたら》こうじゃないかドクター
中央《セントラル》に来《こ》い！
もう……
かんべんしてくれ…!!
いやあんたは断《ことわ》る事《こと》ができない
ラストが言《い》ってたはずだよ
変《へん》な気《き》を起《お》こしたら…

この村《むら》を地図《ちず》から消《け》してやるってね…！
いやだ…やめろ…
いっその事《こと》殺《ころ》してくれ………!!
死《し》ねば逃《に》げられると思《おも》ってるの？甘《あま》いねェ
イシュヴァール人《じん》国内《こくない》の死刑囚《しけいしゅう》…
賢者《けんじゃ》の石《いし》でずいぶん同胞《にんげん》を殺《ころ》してきたねドクター・マルコー
あんたには！平和《へいわ》にのうのうと生《い》きる場所《ばしょ》も！
死《し》んで楽《らく》になる権利《けんり》も無《な》いんだよ!!

いいかい？変《へん》な気《き》を起《お》こして抵抗《ていこう》すればこの村《むら》は消滅《しょうめつ》
そして自殺《じさつ》してもこの村《むら》を消滅《しょうめつ》させてやる
選択肢《せんたくし》はひとつしか用意《ようい》されていない
くんくん
わかり易《やす》くていいだろう
なあ？
さあ一緒《いっしょ》に来《き》てもらおうか

ゴーン ゴーン
ゴーン
ゴーン
ゴン
ゴーン
ドクター！
ゴン
ドクター いらっしゃらないのですか！
まいったな ムダ足《あし》か…？
すみません ここの医者《いしゃ》は留守《るす》ですかね？
あれ？
あんたさっき先生《せんせい》の所《ところ》に入《はい》ってった人《ひと》だよね
さっき？
どした 忘《わす》れ物《もの》かい？

いや 俺《おれ》は ここに来《く》るのは 初《はじ》めてだ
だって さっき軍服《ぐんぷく》で ここに 入《はい》ってっただろ？
ヤロ………
ダッ

……
……!!
ガン!!
ド畜生《ちくしょう》!!

時限爆弾《じげんばくだん》だっテ？
そう…
鉄《てつ》の身体《からだ》に人《ひと》の魂《たましい》
拒絶反応《きょぜつはんのう》という爆弾《ばくだん》が待《ま》っているはずだ
明日《あした》かあるいは10年後《ねんご》か
100年後《ねんご》か1分後《ぷんご》か…
いつその時《とき》が来《く》るかそれはボクにもわからない
わかっただろう？
この身体《からだ》は不老不死《ふろうふし》には程遠《ほどとお》いんだよ

第《だい》43話《わ》
泥《どろ》の河《かわ》

そんな……
じゃあ一日《いちにち》でも早《はや》く元《もと》に戻《もど》らないと………
いや待《ま》ってくれヨ
その身体《からだ》がやばくなったら魂《たましい》を他《ほか》のものに乗《の》せ換《か》えて生《い》き続《つづ》ける事《こと》はできないカ？
痛《いた》みを感《かん》じない食《た》べ物《もの》もいらなイ
便利《べんり》でいいじゃないかその身体《からだ》…
いい訳《わけ》ないでしょ!!!

……何《なに》も
知《し》らないくせに……!!
…ごめん
ウィンリィ!
バタン

ウィンリィ!
ゴン
ゴン
ウィンリィ
ゴン
入《はい》るよ?
キィ…
……もー……
いつも兄《にい》さんやウィンリィが先《さき》に怒《おこ》るからボクは怒《おこ》るタイミングを逃《のが》しっぱなしだ
ははは

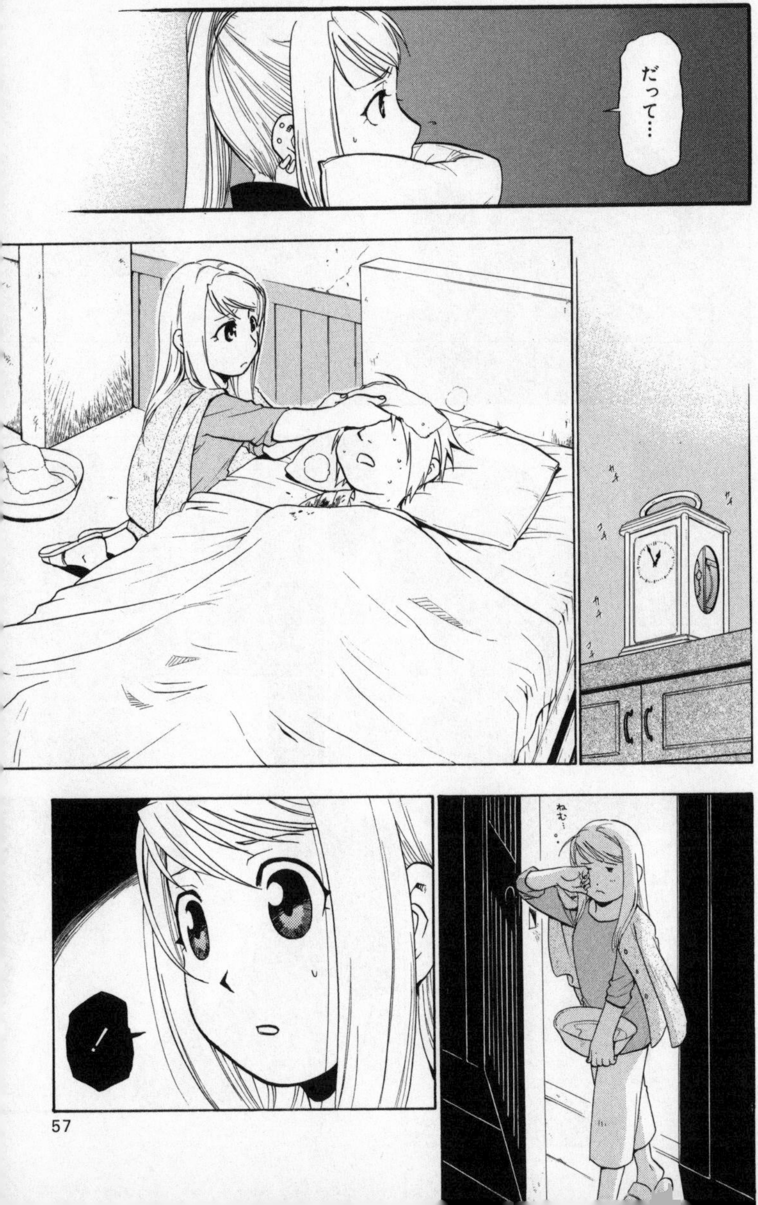

だって…
カチ
カチ
コチ
カチ
コチ
ねむ…。
!

アル……
眠《ねむ》れないの？
カシャ
……うん
どうやらこの身体《からだ》は眠《ねむ》る事《こと》ができないみたいだ
寒《さむ》く……
……もないね何《なに》も感《かん》じない身体《からだ》だし

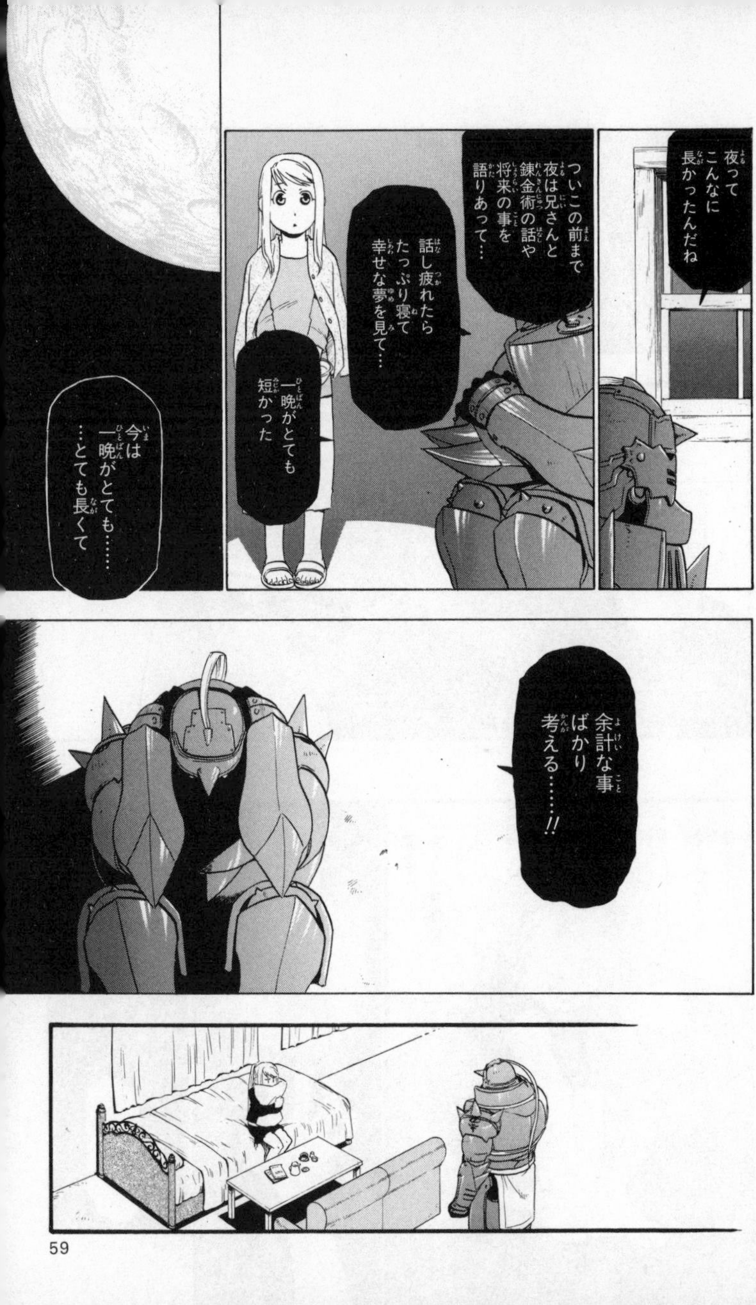

夜《よる》ってこんなに長《なが》かったんだね
ついこの前《まえ》まで夜《よる》は兄《にい》さんと錬金術《れんきんじゅつ》の話《はなし》や将来《しょうらい》の事《こと》を語《かた》りあって…
話《はな》し疲《つか》れたらたっぷり寝《ね》て幸《しあわ》せな夢《ゆめ》を見《み》て…
一晩《ひとばん》がとても短《みじか》かった
今《いま》は一晩《ひとばん》がとても……… …とても長《なが》くて
余計《よけい》な事《こと》ばかり考《かんが》える……!!

アルのあんな姿《すがた》見《み》てたらどうしても今《いま》のままでいいなんて思《おも》えないよ
ねぇ 元《もと》の身体《からだ》に戻《もど》れるよね?
ねぇ!?
返《かえ》せ…
返《かえ》せよ!!
弟《おとうと》をあんな身体《からだ》にしやがって…
持《も》って行《い》った弟《おとうと》を……

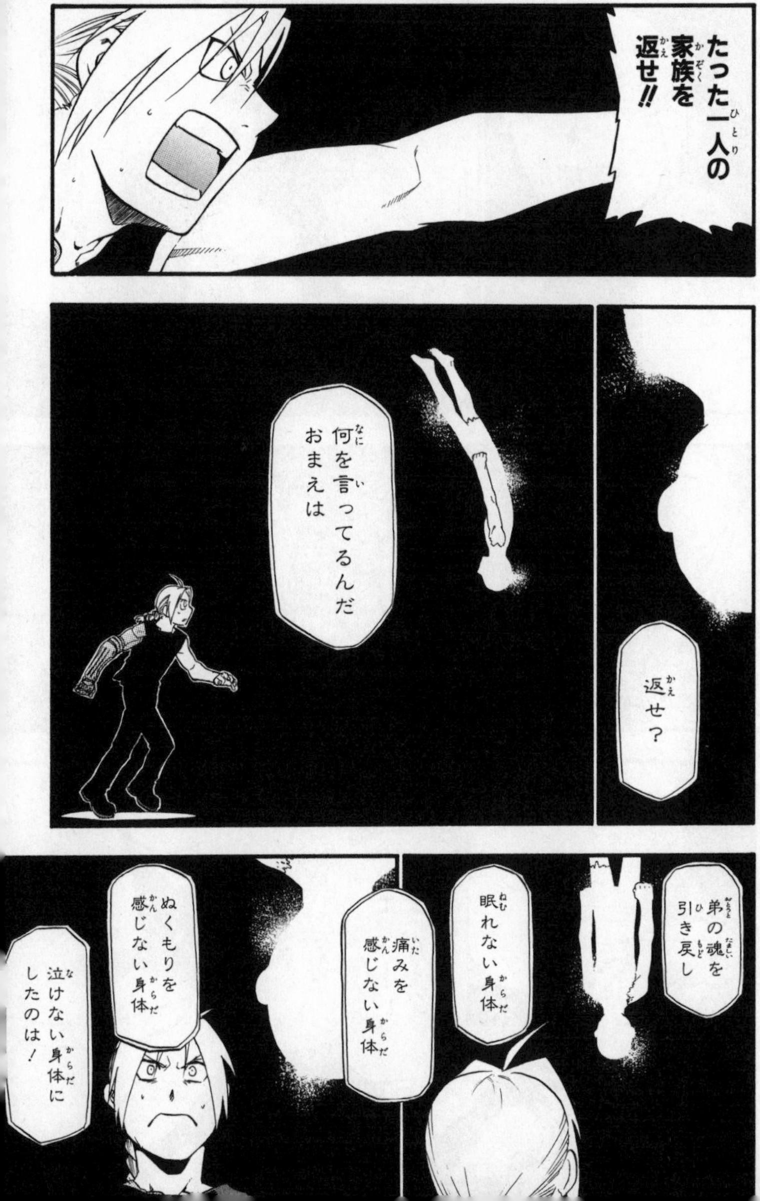
たった一人《ひとり》の家族《かぞく》を返《かえ》せ!!
返《かえ》せ？
何《なに》を言《い》ってるんだおまえは
弟《おとうと》の魂《たましい》を引《ひ》き戻《もど》し
眠《ねむ》れない身体《からだ》
痛《いた》みを感《かん》じない身体《からだ》
ぬくもりを感《かん》じない身体《からだ》
泣《な》けない身体《からだ》にしたのは！

鋼《はがね》の錬《れん》金《きん》術《じゅつ》師《し》!!
他《ほか》ならぬおまえだ!!
おまえのその手《て》だ!!
弟《おとうと》が鎧《よろい》の身体《からだ》になったのは真理《オレ》のせいじゃない
!!
おまえが弟《おとうと》を救《すく》いの無《な》い身体《からだ》にしたんだ
エドワード・エルリック

いや
弟《おとうと》だけじゃ
ないな
エドワード
こんな姿《すがた》の
ままじゃ
いやだわ
早《はや》く
生《い》き返《かえ》らせて
ねぇ
エド
エド
エド…

エド!!
まだ寝《ね》てんのかい!?
親父《おやじ》さんが出《で》ちまうよ!!
ぎし…

……
それは本当《ほんとう》にトリシャだったのか？
腕《うで》も足《あし》も異常《いじょう》無《な》し！
……
ウィンリィは真面目《まじめ》に修業《しゅぎょう》してるみたいだね
電話《でんわ》してきたのか？

いや
機械鎧《それ》を見《み》れば
わかるさ
格段《かくだん》に
腕《うで》を上《あ》げてる
へぇ…
見《み》た目《め》
変《か》わんねーのに
進歩《しんぽ》してんだ
修業《しゅぎょう》が厳《きび》しくて
逃《に》げ帰《かえ》って来《く》るんじゃ
ないかと思《おも》ってたけど
かっ
かっ
かっ
いらん心配《しんぱい》
だったかね
…ばっちゃん
なんだい？

どうしたんだい？
?
……手《て》伝《つだ》って
ほしい事《こと》がある
ズキン
ザッ
ザッ
ザッ

ザッ
ザッ
ぎり…
ドクン
ドクン
ザ!!‥
ドクン
家《いえ》の裏《うら》だよ
ドクン
ドクン
ドクン
たしか…

この辺《へん》だ
ここにあれを埋葬《まいそう》した
ドクン
ズキン
やめるかい？

……いや
手足《てあし》の付《つ》け根《ね》が痛《いた》む
きし…
天気《てんき》が変《か》わりそうだから早《はや》く済《す》ませよう
ザッ
ザッ
ザッ
ザク
ザク
ザッ
ポツ
いけない降《ふ》って来《き》ちまったよ
サァァァァ
急《いそ》がないと………

!!
エド!!
がっ…
……あ
無理《むり》すんじゃないよ!
ごほっ
胃《い》が……
ねじ切《き》れそうだ……
は
は
当《あ》たり前《まえ》だよ! おまえにとっちゃ最大《さいだい》の精神的外傷《トラウマ》だ!!
……もうやめよう
おまえが壊《こわ》れちまう

確認《かくにん》しないと前《まえ》へ進《すす》めないだろ
錬金術師《れんきんじゅつし》は真理《しんり》を追《お》い求《もと》める者《もの》だ
ガッ
自分《じぶん》に都合《つごう》の良《い》い所《ところ》だけ見《み》てそれで済《す》まされて良《い》い訳《わけ》が無《な》い
逃《に》げたな
逃《に》げて…
たまるか！
ゴッ

ザ
ザ
ザ
ザ
ザ
ザ
ザ
ザ

ドクン
ドクン
ドクン
バシャ
ドクン
ばっちゃん……
ドクン
母《かあ》さんの髪《かみ》は栗色《くりいろ》だった…
ドクン

ムク
……黒《くろ》だ…!!
ザアアアアアアァ
大腿骨《だいたいこつ》の長《なが》さから生前《せいぜん》のだいたいの身長《しんちょう》がわかる
骨盤《こつばん》を見《み》れば性別《せいべつ》も判明《はんめい》する
ばっちゃん…
ああ
これにトリシャの特徴《とくちょう》は見当《みあ》たらない

これは
おまえの母親《ははおや》ではない
ド
シャ
全《まった》く別人《べつじん》…
いや…別《べつ》の「もの」!?
やはり無関係《むかんけい》のものを作《つく》ってこの子《こ》らは身体《からだ》を持《も》って行《い》かれたのか
あまりにも理不尽《りふじん》な…!!
はっ
じゃあ あのアルは…

……　……は
は…
はは…
はは　ははは
はははははっははは
そうだ
死《し》んだ人間《にんげん》は　どんな事《こと》をしても　元《もと》に戻《もど》らない
これは　真理《しんり》だ
人体錬成《じんたいれんせい》の　完璧《かんぺき》な理論《りろん》だの　禁忌《きんき》だのと…
何《なに》を　やってるんだ　オレは
ザァァァァ

エド
しっかりおし
気《き》をたしかに持《も》つんだ！
気《き》をたしかに…………か
そうだな
あの日《ひ》から今《いま》さっきまでこれは絶望《ぜつぼう》の象徴《しょうちょう》だった
大丈夫《だいじょうぶ》だよ

だが今《いま》はこれが希望《きぼう》につながる
なんて事《こと》だ…
答《こた》えはスタート地点《ちてん》にあったんだよばっちゃん
アルは元《もと》に戻《もど》れる!!

ぐでっ
行《い》きだおれか……
おい
おい！

どれ
金目《かねめ》の物《もの》は………
ごそ
ぼり
がぶ
すいません
すいません
すいません
殺《しゃ》ーーッ
……
もう
しません
すいません
ありがとうございまス!!
おかげで助《たす》かりましタ!!

ヨキさんは 命《いのち》の恩人《おんじん》でス
ははは 敬《うやま》え 崇《あが》め奉《たてまつ》れ
がぶ
すみません やめてください
メイ・チャンと 言《い》ったか… 女《おんな》の子《こ》が こんな所《ところ》に一人《ひとり》で 何《なに》をしているのだ
はい ある方《かた》を 捜《さが》していまス
エドワード・エルリック という方《かた》を 知《し》りませんカ?
なぬ――!!? あのクソガキの 事《こと》か!!
ご存知《ぞんじ》ですカ!?
知《し》ってるも何《なに》も 奴《やつ》には えらい目《め》に…
…って 誰《だれ》だそれ ――ッ!!!
ははは はは
エドワード様……♡
やっぱり 有名人 ですのネ
ん?
そういえば あいつ 国家《こっか》錬金術《れんきんじゅつ》師《し》だったな

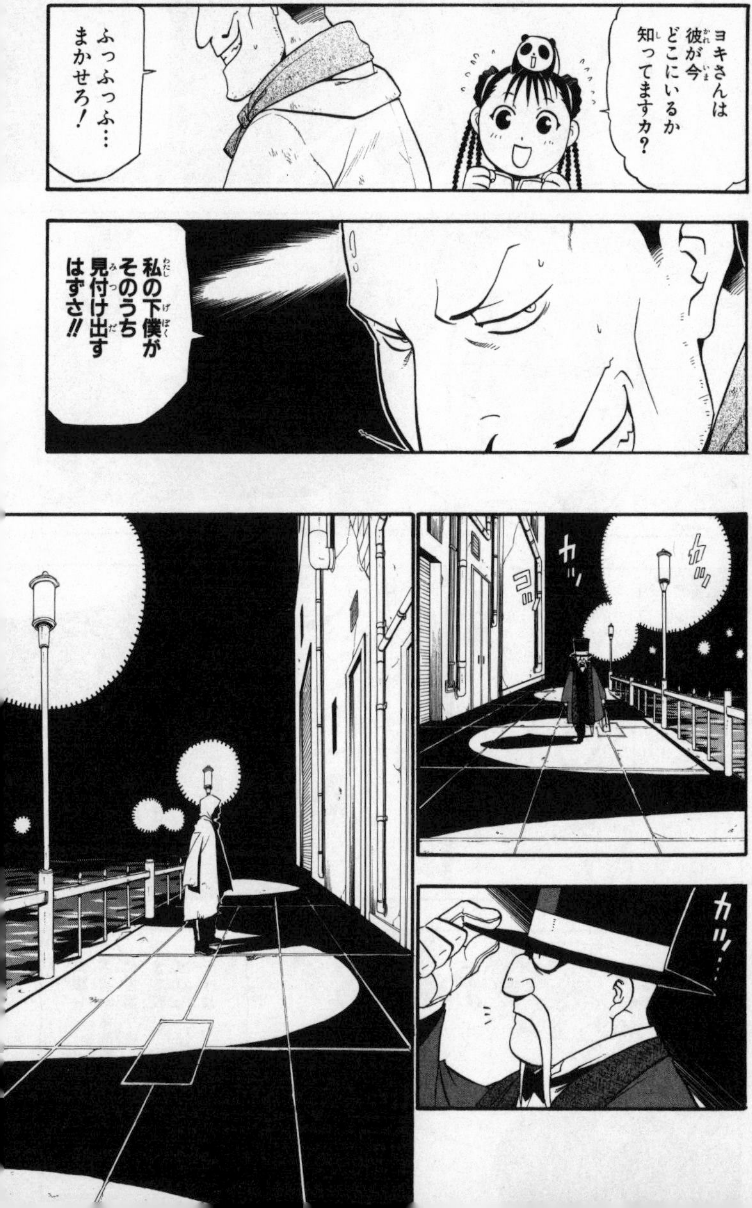
ヨキさんは彼《かれ》が今《いま》どこにいるか知《し》ってますカ？
ふっふっふ…まかせろ！
私《わたし》の下僕《げぼく》がそのうち見付《みつ》け出《だ》すはずさ!!
カッ
カッ
カツ…

ジョリオ・コマンチだな？
…なんの用《よう》かね？
カツ…
ほ！
イシュヴァールの亡霊《ぼうれい》が現《あらわ》れおったわ！
額《ひたい》に傷《きず》のイシュヴァール人《じん》…
イーストシティで死《し》んだと聞《き》いたが……
貴様《きさま》ら国家錬金術師《こっかれんきんじゅつし》を全《すべ》て葬《ほうむ》り去《さ》るまで我《われ》は神《かみ》の元《もと》へは行《い》けぬ

この私《わたし》を
銀《しろがね》の錬金術師《れんきんじゅつし》と
知《し》って
戦《たたか》いを挑《いど》む
その意気《いき》や
良《よ》し!!
ほっほ!
なつかしい
戦場《いくさば》の感覚《かんかく》!!
貴様《きさま》らに
奪《うば》われた
左《ひだり》の足《あし》が
うずくわ!!

ふんッ!
ギャギャギャ
ギャ
ギャリッ
ガガガガッガ

ガン
ほ! おしい!
キュウ
その左足《ひだりあし》 斬《き》り落《お》として やろうと思《おも》ったが かすっただけか
なかなか やるな
だが 壊《こわ》す事《こと》しか 知《し》らぬ 未熟《みじゅく》なその手《て》
我《われ》ら 作《つく》り出《だ》す者《もの》に 到底《とうてい》 敵《かな》う訳《わけ》が無《な》い
……………
…かすった だけか
な?

ボ
ぬ？
キン
むおっ!!?
!!!
錬成物《れんせいぶつ》……!!
早《はや》く武器《ぶき》の錬成《れんせい》を………
ゴオ
ザッ

ガボ
岩《いわ》でもなんでもいい…！
ゴボッ
錬《れん》……
ゴボァ
……………
めきィ
水《みず》しか…………!!
ザザ
ゴ

第《だい》44話《わ》 名《な》前《まえ》の無《な》い墓《はか》

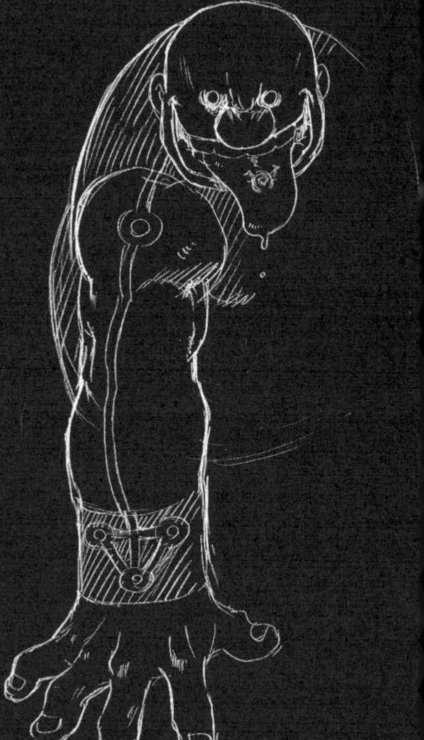

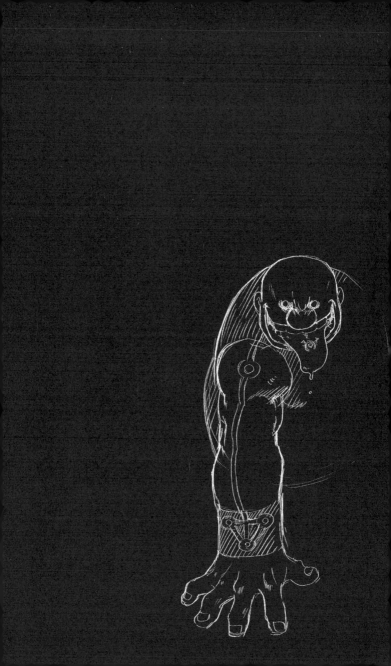

なぁ ばっちゃん
ちゃんと 墓《はか》… 作《つく》りたい
……墓石《ぼせき》に なんて 刻《きざ》むんだい？
…………わかんね

わかんねーけど
これ……
あの時《とき》
たしかに動《うご》いて
オレを見《み》ていた
たった一瞬《いっしゅん》でも
人間《にんげん》だった
オレが作《つく》って
死《し》なせて
しまった……
人間《にんげん》だ
墓《はか》
作《つく》るよ
母親《ははおや》でも
何者《なにもの》でもない
形《かたち》すら
人《ひと》ではなかった
これを
「人間《にんげん》」と言《い》うか

この子《こ》は
人間《にんげん》というものの
定義《ていぎ》が広《ひろ》すぎる
もっとも…
そうでなくては
今《いま》のアルを
人間《にんげん》ではないと
認《みと》める事《こと》に
なるのかね
そうだ…
アル…
エド
これがトリシャじゃ
ないと言《い》うのなら…
その……
今《いま》の
アルは…
人体錬成《じんたいれんせい》が
不可能《ふかのう》だと
言《い》うのなら
おまえの
錬成《れんせい》したという
アルの魂《たましい》は…
うん
確認《かくにん》しなきゃ
ならない事《こと》が
沢山《たくさん》ある

ばっちゃん
オレとアルは間違《まちが》い無《な》く母《かあ》さんの子供《こども》だよな?
ああそうだよ
二人《ふたり》とも出産《しゅっさん》の時《とき》はあたしが取《と》り上《あ》げたんだ
間違《まちが》い無《な》くトリシャとホーエンハイムの子供《こども》さ
うん
うんよし
魂《たましい》の情報《じょうほう》は間違《まちが》ってなかったのに失敗《しっぱい》した…
…よし
?
ジリリ
リリン
はいカーティス…
なんだ エドか!どうしたの

あの……師匠《せんせい》に訊《き》きたい事《こと》があって……
オレ……師匠《せんせい》のプライドとか大事《だいじ》なものをぶち壊《こわ》してしまうかもしれない質問《しつもん》をします
答《こた》えたくなかったらそのまま電話《でんわ》を切《き》ってください
師弟《してい》の縁《えん》も切《き》ってくれてかまわない…ってそういや破門《はもん》されてたんだっけ……
なんだはっきり言《い》いなさい
…師匠《せんせい》がお子《こ》さんを錬成《れんせい》した時《とき》の事《こと》を覚《おぼ》えてますか？
――ああ
忘《わす》れるものか
忘《わす》れるものか……!!
それがどうかしたか

オレとアルが錬成《れんせい》した母《かあ》さんが母《かあ》さんではなかったんです
なんの事《こと》だ？
何《なに》が言《い》いたい？
師匠《せんせい》が人体錬成《じんたいれんせい》してできあがったお子《こ》さんは本当《ほんとう》に師匠《せんせい》の子供《こども》でしたか？

ガチャン
ッ

そうかい
息子《むすこ》たちは
戦地《せんち》でよく
やっとったんだね
親《おや》として
誇《ほこ》りに
思《おも》うよ
どんな
死《し》に際《ぎわ》だったか
聞《き》いてないかい？
……いや
聞《き》いてない
…そうかい
Trisha Elric
あいつ…
ホーエンハイムは
どこ行《い》くって
言《い》ってた？
さあね
何《なに》も
聞《き》いてない

…のヤロー 言《い》うだけ言《い》って バックれかよ! ぶん殴《なぐ》ってやろうと 思《おも》ってたのに!
あ!! 忘《わす》れとった!!
あいつに 会《あ》う事《こと》があったら 伝《つた》えとくれ
何《なに》を?
トリシャの 遺言《ゆいごん》
ピナコさん
あの人《ひと》が 帰《かえ》って来《き》たら 伝《つた》えてもらえますか
何《なに》言《い》ってんだい! 元気《げんき》になって 自分《じぶん》で伝《つた》えなよ!
あの人《ひと》に
約束《やくそく》 守《まも》れなかったって…

先《さき》に逝《い》きます
ごめんなさいって…
伝《つた》えてください
約束《やくそく》？
なんの？
さぁ……
たしかに伝《つた》えたよ
ホーエンハイムによろしくね
Trisha Elric
なんでオレが!!
あんなボンクラでも父親《ちちおや》にゃかわりないだろ
帰《かえ》って来《き》た晩《ばん》に長《なが》い事《こと》おまえ達《たち》の面倒《めんどう》見《み》てくれてすまないって頭《あたま》下《さ》げられたよ
親《おや》として何《なに》もしてやれないって
け！
親《おや》をやる気《き》が無《ね》ぇだけだろ！

…会《あ》ったらな
一発《いっぱつ》殴《なぐ》った後《あと》に伝《つた》えといてやるよ
ちっ
中央《セントラル》に戻《もど》るのかい
ああアルに怒《おこ》られに戻《もど》る
ひょっとしたら兄弟《きょうだい》の縁《えん》切《き》られるかもな
本《ほん》っ当《とう》にごめんなさいガーフィールさん!!
金《かね》ヅルが帰《かえ》って来《こ》なくてホテルから出《で》られないんです
んまぁ!!女《おんな》の子《こ》にお金《かね》の心配《しんぱい》させるなんてダメな男《おとこ》ね!!

帰《かえ》って来《き》たら
尻《しり》の毛《け》まで
むしり取《と》ってやんなさい
そんな甲斐性無《かいしょうな》し!!
はは…
こっちの仕事《しごと》は
気《き》にしなくていいわよ!!
休《やす》み延長《えんちょう》して
あげるから!!
そのかわり
帰《かえ》って来《き》たら
バリバリ
働《はたら》いてね!!
ホホホホホホホホ
はいっ!!
もちろん!!
カラ
カラン
おう
ウィンリィ
ばか――っ!!!
金ヅル来たー!!
わ――!!?
機械鎧《オートメイル》は
壊《こわ》してないぞ!!?
そうじゃないの!!
いいから
さっさと
アルの所《ところ》に
行《い》きなさい!!
ぐい
ぐい
ぐい
なんなんだよ!!
ぐい
ぐい

ぐい
!?
なんじゃこりゃ――――!!!
なっ…おまっ…こんなにぶっ壊《こわ》れて…うおおお!!!
ごめんなさい
オレがいない間《あいだ》に何《なに》やっとんだ――!!!
そしておまえらも何《なに》やっとんだ――!!!
メシ食《く》ってまス
モグ
バク
ムシャ
ゴク

どかっ
あーあー派手《はで》に壊《こわ》したな〜
足《た》りない部分《ぶぶん》は周《まわ》りから寄《よ》せるか
少《すこ》し装甲《そうこう》が薄《うす》くなるけど…
どうした？

人造人間《ホムンクルス》にバリー・ザ・チョッパー…
オレのいない間《あいだ》にえらいお祭《まつ》り騒《さわ》ぎだな
おまけに相入《あいい》れない身体《からだ》と魂《たましい》の拒絶反応《きょぜつはんのう》か…!
アルは元《もと》に戻《もど》れるよね?
あたりめーだ! オレが戻《もど》すっつったら戻《もど》す!!

アル
オレな
あの時《とき》錬成《れんせい》した母《かあ》さんらしき者《もの》の遺体《いたい》を掘《ほ》り起《お》こして確認《かくにん》してきた
な…
結果《けっ》《か》として!
あれは母《かあ》さんではないという結論《けつろん》に達《たっ》した
ス
ガ
だって…
それじゃあ…
ちょっと待《ま》ってよ……

兄《にい》さん なんでそんな事《こと》 一人《ひとり》で……
文句《もんく》は あとで聞《き》く
おまえが 元《もと》の身体《からだ》に 戻《もど》れるという 確信《かくしん》を得《え》た
本当《ほんとう》に!?
——で 二人《ふたり》に質問《しつもん》 なんだが…
ウィンリィを… その…よ…… 嫁《よめ》にすんの どっちだ…って 兄弟《きょうだい》ゲンカした話《はなし》
覚《おぼ》えてるか?
ああこの前《まえ》 病院《びょういん》の屋上《おくじょう》で そんな話《はなし》したねぇ
兄さん 覚えてないんだ
なつかしー! 5歳位《さいくらい》の 時《とき》だっけ?
アルに聞《き》いて 知《し》ったんだけど 両方《りょうほう》 ふったって?

うん ふった ふった
理由《りゆう》は?
せーの
「あたしより背《せ》の低《ひく》い男《おとこ》はいや」
身長《しんちょう》で男《おとこ》の価値《かち》決《き》めんなよ!!
鬼《おに》!!
悪魔《あくま》!!
サイテー!!
悪女!!
えー
なんの関係《かんけい》があるの
ぜー
はー
オレが知《し》らないアルの記憶《きおく》の確認《かくにん》だよ
他《ほか》に何《なに》かないか?
エドが寝《ね》てる間《あいだ》に[redacted]を[redacted]で[redacted]とか覚《おぼ》えてる?
うん あれねー
うんうん ボクとウィンリィで[redacted]な兄《にい》さんの[redacted]を[redacted]とか
あんなこと
[redacted]な[redacted]が[redacted]って
こんなこと
あれや
これや
そうそう
もういい… 聞《き》きたくない…
おまえらおぼえてろヨ

つまりだな
オレの知《し》らない…
知《し》り得《え》ない記憶《きおく》
その鎧《よろい》の身体《からだ》になる前《まえ》…
10歳《さい》までの記憶《きおく》があるって事《こと》は
あの日《ひ》
オレがその鎧《よろい》に定着《ていちゃく》させたアルは本物《ほんもの》のアルって事《こと》だ
じゃあ
10歳《さい》以降《いこう》の記憶《きおく》…
鎧《よろい》の身体《からだ》になってからの記憶《きおく》はどうだ？
？
脳《のう》ミソを持《も》ってないのに鎧《よろい》になってからの記憶《きおく》と経験《けいけん》はどこに蓄積《ちくせき》されている？
これは？
それはあくまでおまえの魂《たましい》を定着《ていちゃく》させるためだけの印《しるし》だ
思《おも》うに
どこかに存在《そんざい》するアルの肉体《にくたい》は今《いま》も活動《かつどう》していて脳《のう》は働《はたら》いている

あ!! バリー・ザ・チョッパー!!
魂《たましい》とは離《はな》れた場所《ばしょ》に肉体《にくたい》が存在《そんざい》していた!!
錬金術《れんきんじゅつ》において人間《にんげん》は「肉体《にくたい》」と「魂《たましい》」と「精神《せいしん》」の三《みっ》つから成《な》ると言《い》われているが
オレは「肉体《にくたい》」と「魂《たましい》」をつなぐのが「精神《せいしん》」だと考《かんが》える
肉体《にくたい》と魂《たましい》は引《ひ》かれあう……
精神《せいしん》によってつながっているから
……!!
そう
アルの魂《たましい》と消《き》えた肉体《にくたい》はどこかで精神《せいしん》によってつながってるんじゃないか?
オレはあの日《ひ》無意識《むいしき》に「持《も》って行《い》かれた」と言《い》った
「死《し》んだ」ではなく「持《も》って行《い》かれた」んだおまえは

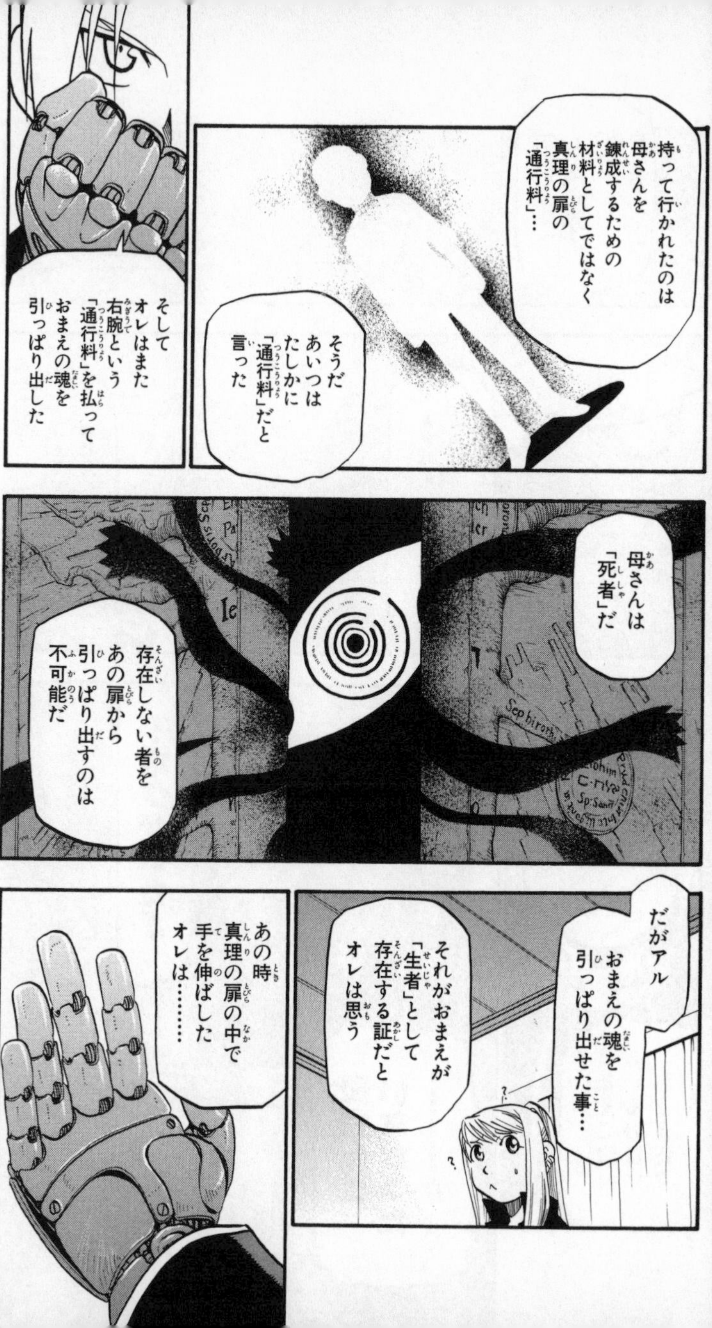
持《も》って行《い》かれたのは母《かあ》さんを錬成《れんせい》するための材料《ざいりょう》としてではなく真理《しんり》の扉《とびら》の「通行料《つうこうりょう》」…
そうだ あいつはたしかに「通行料《つうこうりょう》」だと言《い》った
そして オレはまた右腕《みぎうで》という「通行料《つうこうりょう》」を払《はら》っておまえの魂《たましい》を引《ひ》っぱり出《だ》した
母《かあ》さんは「死者《ししゃ》」だ
存在《そんざい》しない者《もの》をあの扉《とびら》から引《ひ》っぱり出《だ》すのは不可能《ふかのう》だ
Sephiroth
だがアル おまえの魂《たましい》を引《ひ》っぱり出《だ》せた事《こと》…
それがおまえが「生者《せいじゃ》」として存在《そんざい》する証《あかし》だとオレは思《おも》う
あの時《とき》 真理《しんり》の扉《とびら》の中《なか》で手《て》を伸《の》ばしたオレは……

母《かあ》さんのようなものに手《て》が届《とど》かなかった
アル思《おも》いだせ!
おまえが手《て》を伸《の》ばした先《さき》に…
オレの見《み》たものよりさらに先《さき》には…
…ボクがいた!!
母《かあ》さんはいなかった………!!
そうだ!
あそこにいるのはおまえだ!!

思《おも》い出《だ》した……
ボクはあの時《とき》…
母《かあ》さんだと思《おも》っていた者《もの》の中《なか》から兄《にい》さんを見《み》ていた……!!
……あれにおまえの魂《たましい》が定着《ていちゃく》しなかったのは不幸中《ふこうちゅう》の幸《さいわ》いか…
今思《いまおも》えば
拒絶反応《きょぜつはんのう》だったんだろうね

そうか…
あれは母《かあ》さんじゃなかった…
許《ゆる》してくれとは言《い》わない
全《まった》く関係《かんけい》無《な》い者《もの》を錬成《れんせい》しておまえを巻《ま》き込《こ》んで……
おまけに爆弾《ばくだん》抱《かか》える身体《からだ》にしちまった…
オレは…
コン
コン

エルリック様《さま》
イズミ・カーティス様《さま》からお電話《でんわ》が入《はい》っております
師匠《せんせい》!?
エドか？
どうしたんですか
ピナコさんにホテルの番号《ばんごう》を訊《き》いた
私《わたし》の家系《かけい》と旦那《だんな》の家系《かけい》を調《しら》べていた
え？
FRONT
私《わたし》があの子《こ》を錬成《れんせい》した時《とき》は旦那《だんな》の髪《かみ》と自分《じぶん》の血《ち》とあの子《こ》の遺骨《いこつ》を使《つか》った
なのに錬成《れんせい》されたあの子《こ》は肌《はだ》の色《いろ》髪《かみ》の色《いろ》ともに
私達夫婦《わたしたちふうふ》から生《う》まれるはずの無《な》い色《いろ》をしていた
…何《なに》か突《つ》き止《と》めたんだな？

はい
死《し》んだ人間《にんげん》は………
失《うしな》われた者《もの》は
再構築《さいこうちく》できないという
確信《かくしん》です
そうか よかった
アルの肉体《にくたい》は生《い》きているんだな
こっちは完璧《かんぺき》だと思《おも》っていた錬成理論《れんせいりろん》を完全否定《かんぜんひてい》されたよ
術師《じゅつし》の面目《めんぼく》丸《まる》つぶれだ
すみません
いや あれは「通行料《つうこうりょう》」だった
我々《われわれ》が踏《ふ》み込《こ》んではいけない領域《りょういき》へのね
エド!
はいっ!
ありがとう

プッ
ツー……
「ありがとう」？
兄《にい》さん
師匠《せんせい》はなんて？
なんかわかんねーけど「ありがとう」って言《い》われた
……ああそうか
？
あの錬成《れんせい》の日《ひ》から今日《きょう》この日《ひ》までボクは自分《じぶん》の事《こと》を責《せ》め続《つづ》けていた
でも口《くち》に出《だ》すのが怖《こわ》かった
母《かあ》さんを……

母《かあ》さんを あんな姿《すがた》にして 殺《ころ》したのは ボクだ…と！
ずっと ずっと怖《こわ》くて 言《い》えなかった…!!
兄《にい》さん ありがとう
ボクは母《かあ》さんを 殺《ころ》していなかった………!!
オレもだよ

イズミ…
救《すく》われた気《き》がするんだ
私《わたし》はあの子《こ》を二《に》度《ど》殺《ころ》してはいなかった…！
それでも私達《わたしたち》がしでかした事《こと》は許《ゆる》されるものじゃない
忘《わす》れるものか

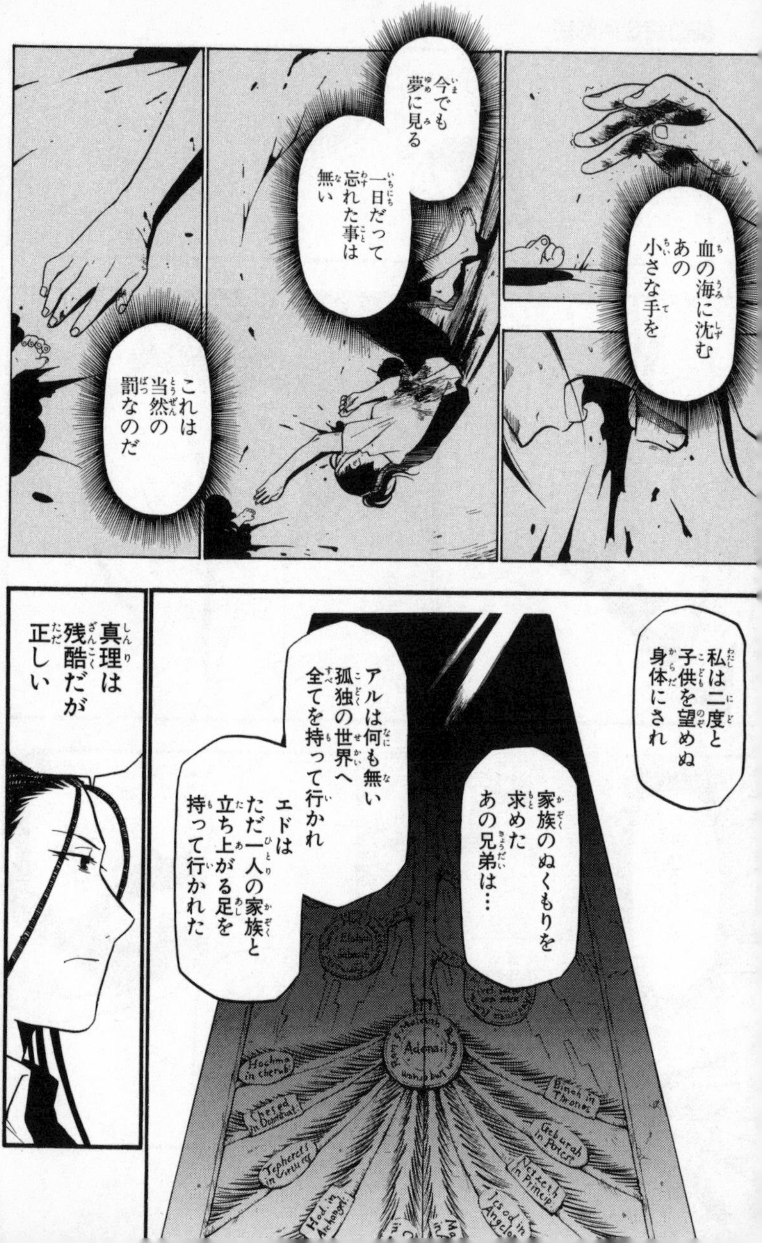

血《ち》の海《うみ》に沈《しず》む あの 小《ちい》さな手《て》を
今《いま》でも 夢《ゆめ》に見《み》る
一日《いちにち》だって 忘《わす》れた事《こと》は 無《な》い
これは 当然《とうぜん》の 罰《ばつ》なのだ
私《わたし》は二度《にど》と 子供《こども》を望《のぞ》めぬ 身体《からだ》にされ
家族《かぞく》のぬくもりを 求《もと》めた あの兄弟《きょうだい》は…
アルは何《なに》も無《な》い 孤独《こどく》の世界《せかい》へ 全《すべ》てを持《も》って行《い》かれ
エドは ただ一人《ひとり》の家族《かぞく》と 立《た》ち上《あ》がる足《あし》を 持《も》って行《い》かれた
真理《しんり》は 残酷《ざんこく》だが 正《ただ》しい

だが
エド《あいつ》は
立《た》ち上《あ》がった
そうだね
あの子《こ》なら
いつか真理《しんり》に
打《う》ち勝《か》つかも
しれない
たとえ母《かあ》さんを
殺《ころ》していなくても
アルを
そんな身体《からだ》にしたのは
オレだ
HOTEL
逃《に》げて
許《ゆる》される
ものじゃない
なんと
罵《ののし》られようと
おまえの身体《からだ》を
元《もと》に戻《もど》すまで…
兄《にい》さん

あれは賛同《さんどう》したボクも同罪《どうざい》だから
一人《ひとり》で背負《せお》ってるような事《こと》言《い》わないでよ
なんでも一人《ひとり》で抱《かか》えこんで…
見《み》てるこっちが苦《くる》しくなるよ
そんな兄《にい》さんを見《み》てたのもあって…
……ヒューズさんが死《し》んだ時《とき》他《ほか》の人《ひと》が犠牲《ぎせい》になるくらいなら元《もと》の身体《からだ》に戻《もど》らなくていいって…正直《しょうじき》思《おも》ったよ
人《ひと》ならざる身体《からだ》を持《も》ってても自分《じぶん》の存在《そんざい》に意義《いぎ》を持《も》って奔放《ほんぽう》に生《い》きてる人達《ひとたち》を見《み》て
そういう生《い》き方《かた》もあるんだと思《おも》ったし…
周《まわ》りの人《ひと》もこんな身体《からだ》のボクを人間《にんげん》として扱《あつか》ってくれる

拒絶反応《きょぜつはんのう》という爆弾《ばくだん》を抱《かか》えてるって言《い》っても
生身《なまみ》の人間《にんげん》だっていつ事故《じこ》や病気《びょうき》で死《し》ぬかわからないんだから命《いのち》の危険度《きけんど》は皆《みんな》と同《おな》じだ
普通《ふつう》に生《い》きようと思《おも》えばこの身体《からだ》になんの不自由《ふじゆう》も無《な》い
…でもやっぱりダメだ
もう……
もう……
一人《ひとり》の夜《よる》はいやだよ…!!

元《もと》に戻《もど》りたい理由《りゆう》はただそれだけだ…
元《もと》の身体《からだ》に戻《もど》りたいよ……………!!
…オレもおまえの笑《わら》った顔《かお》が見《み》たい
ただそれだけだ
でももう誰《だれ》も巻《ま》き込みたくない
だから兄《にい》さんボクは周《まわ》りの人《ひと》を守《まも》れるくらい強《つよ》く在《あ》りたい!
もう誰一人《だれひとり》失《うしな》わない道《みち》を進《すす》んで身体《からだ》を手《て》に入《い》れる!
はっは!
同《おな》じ事《こと》考《かんが》えてた!

もうグダグダ悩《なや》んでるヒマは無《ね》ぇ
やってやるさ
真理《しんり》の野郎《やろう》ぶっとばして
あそこからおまえの身体《からだ》を引《ひ》っぱり出《だ》してやる!
そういえば父さん帰って来てたって?
あームカつく奴だった

あれ……?
こんな背中《せなか》大《おお》きかったっけ……?
──一足《ひとあし》遅《おく》れか
人造人間《ホムンクルス》の中《なか》に変身《へんしん》できる奴《やつ》がいるという
そいつの仕業《しわざ》かもしれんな
くそ…気色悪《きしょくわる》い!!

俺《おれ》 年内《ねんない》の休暇《きゅうか》 全部《ぜんぶ》 使《つか》っちまいました もう自由《じゆう》に 動《うご》けません
手詰《てづ》まりか…
では 失礼《しつれい》します
?
俺《おれ》の親《おや》と 退役軍人局《たいえきぐんじんきょく》の 人《ひと》っスよ
退《たい》…
留置所襲撃犯《りゅうちじょしゅうげきはん》 捕獲《ほかく》の際《さい》の 負傷《ふしょう》で 退役《たいえき》って事《こと》に なりました

ちょっと待《ま》て!
退役《たいえき》して
どうするんだよ!
俺《おれ》の実家《じっか》は
東部《とうぶ》の田舎《いなか》で
雑貨屋《ざっかや》を
やってんだ
電話番《でんわばん》
くらいは
できるだろ
まだ治《なお》らんと
決《き》まった訳《わけ》では
……
自分《じぶん》がもう
使《つか》えない人間《にんげん》だって
わからないほど
バカじゃないっス
動《うご》けない駒《こま》は
この軍《ぐん》には
いらない
諦《あきら》めるのか
この足《あし》で
どうしろってん
ですか
しかし……!!
…んて目《め》
してんだよ

捨《す》ててけよ!!
置《お》いて行《い》けよ!!
あんたこんな下《した》っ端《ぱ》にかまってる暇《ひま》あんのかよ!!
ヒューズ准将《じゅんしょう》との約束《やくそく》があるんだろが!!
おい ハボ!!
やめろ!!
見《み》ろよ 人《ひと》に支《ささ》えてもらわなきゃ 上半身《じょうはんしん》すら まともに起《お》こせねぇ この体《てい》たらくを
同情《どうじょう》なんて…いらねンだよ!!
切《き》り捨《す》ててってくださいよ…
諦《あきら》めさせてくださいよ…

たのむから
わかった
置《お》いて行《い》く

私《わたし》は先《さき》に行《い》く
置《お》いて行《い》くから
追《お》いついて来《こ》い
上《うえ》で待《ま》っているぞ
パタン
ハボック少尉《しょうい》
あの人《ひと》はね

生《い》きる事《こと》を諦《あきら》めようとした私《わたし》でさえ見捨《みす》てようとしなかった
また背中《せなか》を預《あず》けると言《い》ってくれた
捨《す》てられないのよ
バカだ…
そんな甘《あま》い事《こと》でこの国《くに》を登《のぼ》りつめられる訳《わけ》ないじゃないスか
そういうバカが一人《ひとり》くらいいても良《い》いと思《おも》うわ
DUSTBOX
カッ…
っ…!
DUST
傷口《きずぐち》が開《ひら》きます
無理《むり》をなさらないでください

私《わたし》の軍服《ぐんぷく》を持《も》って来《き》てくれ
まだとても退院《たいいん》できる状態《じょうたい》では…
持《も》って来《こ》い
………了解《りょうかい》しました
ズン
ズン
ズン
あ、少佐《しょうさ》！休暇《きゅうか》は終《お》わりですか!?
む？
ブロッシュ軍曹

顔に出るから教えちゃダメです!!
う……む
東《ひがし》は美人《びじん》が多《おお》くて良《よ》い所《ところ》であったぞ
ぽん
?
そうそう少佐《しょうさ》！丁度《ちょうど》良《よ》い所《ところ》へ！
今《いま》憲兵《けんぺい》司令部《しれいぶ》から回《まわ》って来《き》たのですが
国家《こっか》錬金術師《れんきんじゅつし》に優先《ゆうせん》して情報《じょうほう》を回《まわ》せとの事《こと》です
マスタング大佐《たいさ》に至急連絡《しきゅうれんらく》！
エドワード・エルリックはホテルにいるかもしれん！急《いそ》ぎ知《し》らせよ！
はっ!!
憲兵《けんぺい》司令部《しれいぶ》より全市《ぜんし》に通達《つうたつ》
グシャ

イーストシティで死亡《しぼう》と思《おも》われた「傷の男《スカー》」が再《ふたた》び中央《セントラル》に現《あらわ》れた模様《もよう》
しっかりしろ!
被害者《ひがいしゃ》は新《あら》たに三名《さんめい》 全《すべ》て国家錬金術師《こっかれんきんじゅつし》
奴だ…
誰だって!?
額に大きな傷の男…
目撃《もくげき》した憲兵《けんぺい》の情報《じょうほう》によると特徴《とくちょう》は額《ひたい》に大《おお》きな十字傷《じゅうじきず》
奴は右腕に…
加《くわ》えて右腕《みぎうで》全体《ぜんたい》に入《い》れ墨《ずみ》の入《はい》ったイシュヴァール人《じん》

くり返《かえ》す…
また我《われ》らの邪魔《じゃま》をするか傷《スカー》の男よ

……
なんだ こいつらは
あ! お帰《かえ》りですか 旦那《だんな》! 一週間《いっしゅうかん》も 帰《かえ》って来《こ》ないから 心配《しんぱい》してたんで やんスよ!
なんだ こいつらは
ちま――ん
はじめまして メイ・チャンと 申《もう》しまス
このたび あなた様《さま》の主《あるじ》の ヨキ様《さま》に 命《いのち》を助《たす》けて いただきましタ
ふか ぶか
そのご恩《おん》に 報《むく》いんと こうしてここに いる次第《しだい》で ございまス
主《あるじ》?
ギロ

礼《れい》などいらん
さっさと立《た》ち去《さ》……
きゅ？
錬丹術《れんたんじゅつ》ですネ
龍脈《りゅうみゃく》……
地《ち》の力《ちから》の流《なが》れを知《し》り
それを使《つか》う術《じゅつ》
入《い》れ墨《それ》は
我《わ》が国《くに》の
錬丹術《れんたんじゅつ》の流《なが》れを
くむものですネ
TERRA

……おまえは シン国《こく》の者《もの》か
はイ
己《おれ》の兄《あに》は シンから来《き》た旅人《たびびと》に もらった書物《しょもつ》から 錬金術《れんきんじゅつ》に 興味《きょうみ》を持《も》ったと 言《い》っていた
入《い》れ墨《ずみ》は 兄《あに》の研究《けんきゅう》の 成果《せいか》だ
お兄様《にいさま》は 今《いま》 何《なに》ヲ？
死《し》んだ
国家錬金術師《こっかれんきんじゅつし》に 殺《ころ》された
第《だい》45話《わ》
傷《きず》の男《おとこ》再《ふたた》び

腐《くさ》ってたら
どうしよう
だって
あっちにあるって言う
ボクの肉体《にくたい》は
栄養《えいよう》を
取《と》ってないんだよ!?
睡眠《すいみん》も
取《と》ってないんだよ!?
バリーの
肉体《にくたい》みたいに
崩壊《ほうかい》しかけてたら
その身体《からだ》に
戻《もど》ったとしても‥‥!!
兄さーん
ウィンリィ～
ギャヒ
ああああああ
え!?
ちょっと
どうしよう
エド!!
うむ

仮説《かせつ》だが……
母《かあ》さんを
錬成《れんせい》しようとした時《とき》
魂《たましい》の情報《じょうほう》として
オレとアルの
血《ち》を混《ま》ぜたよな？
うん
そして
二人《ふたり》一緒《いっしょ》にあっちに
持《も》って行《い》かれて
一度《いちど》分解《ぶんかい》された…
その過程《かてい》で
オレの精神《せいしん》と
アルの精神《せいしん》が
混線《こんせん》してしまった
可能性《かのうせい》は
無《な》いだろうか？
何《なに》が
言《い》いたいのさ？
こっちのオレと
あっちのアルが
リンクしている
可能性《かのうせい》は
無《な》いかって事《こと》だ
ほら
オレって
年《とし》の割《わり》に
身長《しんちょう》
ちいさ……
ちい…
ち…

……ちいさいし……
みとめた……!!
トラウマと向《む》きあった……!!
えーと… つまり アルの肉体《にくたい》の成長分《せいちょうぶん》も エドが背負《せお》ってる ……って事《こと》?
とっぴょーしも 無《な》い
とっぴょーし 無《な》くない!!
あんたは 牛乳《ぎゅうにゅう》飲《の》まないから 伸《の》びないの!
……………
また 牛乳《ぎゅうにゅう》かよ!!
そういえば
気付《きづ》けば 兄《にい》さんって しょっちゅう 寝《ね》てる…
ボクの 肉体《にくたい》の分《ぶん》まで 睡眠《すいみん》とって くれてる…?
まさか… でも…
へへ…
そうだといいな

同《おな》じ血《ち》を分《わ》けた兄弟《きょうだい》だもんね
ゴン
おうよ！二人《ふたり》で一人前《いちにんまえ》！
うおっしゃ!! アルが元《もと》に戻《もど》ればオレの身長《しんちょう》も伸《の》びる!!
希望《きぼう》がわいてきたぞ!!
そうとなったらちゃんと食《た》べて寝《ね》ないとダメだよ兄《にい》さん！
牛乳《ぎゅうにゅう》も飲《の》む事《こと》！
結局《けっきょく》そっちに持《も》ってくのかよ!!
いや怒《おこ》りっぽいのもカルシウム不足《ぶそく》のせいだね
大人げないし
ドカ
こう見《み》えてもちゃんと伸《の》びてんだよ！
じわじわと！
いつまでもガキじゃねーんだからうるさく言《い》うな！
はは
はは
あーあとりあえず安心《あんしん》した！
明日《あした》ガーフィールさんの所《ところ》に戻《もど》るね

部屋《へや》に戻《もど》って仕度《したく》しなくちゃ
じゃあね
おう
パタン
そうだよね
いつまでも子供《ガキ》じゃないんだ…

問題《もんだい》はどうやって扉《とびら》を開《あ》けるかって事《こと》だ
うん
通行料《つうこうりょう》があれば扉《とびら》を開《あ》ける事《こと》ができる…
ああ
今度《こんど》は何《なに》を犠牲《ぎせい》に扉《とびら》を開《あ》けるのか………
「手足《てあし》のもう一本《いっぽん》くらい」って考《かんが》えてるだろ
!
そんなの嫌《いや》だよ!! 一緒《いっしょ》に元《もと》の身体《からだ》に戻《もど》るって約束《やくそく》したろ!?
わ… わかってるよ!
そうだよな約束《やくそく》だもんな

やっぱり賢者《けんじゃ》の石《いし》…かな
でも あれ人《ひと》の命《いのち》使《つか》ってんだぞ!?
そうなんだよねぇ……
………
……人柱《ひとばしら》
貴重《きちょう》な人柱《ひとばしら》だから死《し》なれちゃ困《こま》る……って言《い》ってた
!
そうだ扉《とびら》を開《あ》けた者《もの》を人柱確定《ひとばしらかくてい》って……

あっちに行《い》って帰《かえ》って来《こ》れるだけの力量《りきりょう》を持《も》った術師《じゅつし》を奴《やつ》らは「人柱《ひとばしら》」と言《い》っている?
ボクの場合《ばあい》は兄《にい》さんが引《ひ》き戻《もど》してくれた訳《わけ》だけど
……奴《やつ》ら人柱《オレたち》に扉《とびら》を開《あ》けさせて何《なに》かするつもりか?
そもそも人造人間《ホムンクルス》を造《つく》ったのは誰《だれ》だ?
奴《やつ》らに指示《しじ》を出《だ》してるのは誰《だれ》だ?
軍《ぐん》の研究機関《けんきゅうきかん》か?
だとしたらそんな大仕事《おおしごと》を大総統《だいそうとう》が知《し》らないはずは無《な》い
じゃあなぜ大総統《だいそうとう》は人造人間《ホムンクルス》グリード一味《いちみ》を掃討《そうとう》した?
グリードの離反《りはん》…?
ぶあ!!
グリードとの取引《とりひ》きを断《ことわ》って失敗《しっぱい》した……!!
ちゃんと話《はなし》訊《き》いとけばよかった……!!
でもあれは結果《けっか》オーライだよ

あの時《とき》 グリードと 取引《とりひ》きしてたら 大総統《だいそうとう》に 裁《さば》かれてたかも しれない
ボク達《たち》この世《よ》に いなかったかも しれないんだよ
めちゃくちゃ 強《つよ》かったよ 大総統《だいそうとう》……
人間《にんげん》じゃない みたいに………
人造人間《ホムンクルス》 だったりして
まっさかー!!
ははははははは
だよなぁー!!
はぁ――
とにかく 人造人間《ホムンクルス》に 話《はなし》を訊《き》こう
どうやって?
できる事《こと》から ひとつひとつ やってくしか 無《ね》ぇさ

たまには特権《とっけん》使《つか》わねぇとな
チャラ
どうだった?
こんな遅《おそ》い時間《じかん》でも国家錬金術師《こっかれんきんじゅつし》って言《い》ったらすんなり見学《けんがく》させてくれた
権力万歳!!
地下《ちか》の入口《いりぐち》は?
無《な》かった
え? 地図《ちず》まちがったかな
いや 合《あ》ってると思《おも》うぞ
無《な》かったと言《い》うより塞《ふさ》がれてた

わずかだが 錬成痕《れんせいこん》が あった
流石《さすが》に 入《い》り口《ぐち》を残《のこ》しとくほど バカじゃねぇや
ぐしゃ
さて…
どこに行《い》ったら 人造人間《ホムンクルス》に 会《あ》えるかねぇ…
エドワード君《くん》！
あれ？ ブロッシュ軍曹《ぐんそう》？
よかった！ ホテルに行《い》ったら こっちに来《き》てるって 言《い》うから…
ぜー はー
どうしたんだよ

今《いま》すぐホテルに戻《もど》った方《ほう》がいい
希望《きぼう》とあらば護衛《ごえい》も付《つ》ける
傷の男《スカー》が生《い》きていた
なんだってェ!?
市内《しない》の国家錬金術師《こっかれんきんじゅつし》に伝《つた》えて回《まわ》っているところだ
とにかく安全《あんぜん》な場所《ばしょ》へ!
軍曹《ぐんそう》これ……
ああ新《あたら》しい情報《じょうほう》だよ
額《ひたい》に大《おお》きな傷《きず》
加《くわ》えて右腕全体《みぎうでぜんたい》に入《い》れ墨《ずみ》のイシュヴァール人《じん》だ
顔《かお》は包帯《ほうたい》だらけ
右腕《みぎうで》に入《い》れ墨《ずみ》のあるイシュヴァール人《じん》の武僧《ぶそう》

傷の男《スカー》……
アル
おまえにだけは話《はな》しとく
傷の男《スカー》がウィンリィの両親《りょうしん》の仇《かたき》……!?
まだ確定《かくてい》した訳《わけ》じゃないけどな
そんな……
兄《にい》さんこれウィンリィには言《い》っちゃダメだよ
言《い》えるかよ!
……もうあいつの泣《な》きっ面《つら》なんざ見《み》たくねえ
ボクもだよ

なんにせよ 傷の男《スカー》とは もう一度《いちど》 対峙《たいじ》しなきゃ ならねぇな
ウィンリィの 両親《りょうしん》の事《こと》 訊《き》くの？
それもあるけど もうひとつ——
人造人間《ホムンクルス》を おびき出《だ》す
奴《やつ》らは オレの事《こと》を 「貴重《きちょう》な人柱《ひとばしら》」 「生《い》かされている」と 言《い》っていた
つまり オレに死《し》なれちゃ 困《こま》るって事《こと》だ
オレが 傷の男《スカー》に 襲《おそ》われて 危機《きき》に 陥《おちい》ったら…
奴《やつ》らは 出《で》て来《く》る…………？
確率《かくりつ》は 低《ひく》いよ？
何《なに》も やらないより マシだ！

ボクら
この前《まえ》
傷《スカー》の男には
一瞬《いっしゅん》で
やられてんだけど?
う!!
たぶんオレ達《たち》
前《まえ》より
強《つよ》くなっ……
……て……る!!
仮《かり》に人造人間《ホムンクルス》が
出《で》て来《き》たとしても
どうやって
捕《つか》まえるのさ?
な……んとか
なる!!
………たぶん
はーい
話《はなし》は聞《き》きましタ!!
リン!!
おまえ
いつから!!?
部屋《へや》を
追《お》い出《だ》されてから
ずっとだヨー

その作戦《さくせん》
協力《きょうりょく》しようじゃないカ
何《なに》!?
何《なに》を企《たくら》んでやがる
やだなー
友達《ともだち》だロ?
協力《きょうりょく》すんのは当《あた》り前《まえ》♡
──てのは建前《たてまえ》デ
こっちも人造人間《ホムンクルス》の秘密《ひみつ》が欲《ほ》しイ
俺達《おれたち》はある程度《ていど》まで近《ちか》くにいれば奴《やつ》らの気配《けはい》を察知《さっち》できル
君達《きみたち》が奴《やつ》らをおびき出《だ》ス
俺達《おれたち》は奴《やつ》らの気配《けはい》を追《お》って先回《さきまわ》りしてふん捕《づか》まえル
俺達《おれたち》は一度《いちど》奴《やつ》らと戦《たたか》った事《こと》があるから捕《つか》まえるにしてもいくらかやり易《やす》いだろウ
どうだイ
一匹《いっぴき》捕《つか》まえさせてみないカ?

共同戦線《きょうどうせんせん》か……
いいだろう！
人造人間《ホムンクルス》
持《も》ち逃《に》げすんなよ！
約束《やくそく》は守《まも》るヨ
一飯《いっぱん》の恩《おん》があるしネ
一飯《いっぱん》？
あ
兄《にい》さん
これ……
リンが使《つか》ったルームサービス代《だい》……
ぺろ
一飯《いっぱん》どころじゃねえじゃねーか!!
アイヤー
うるさーい!!
ガキかあんたらは!!

あたし 明日《あした》は 早《はや》いんだから 睡眠《すいみん》のジャマ しないでよ!!
あ…… そっか ラッシュバレーに 戻《もど》るんだっ…
け………
待《ま》て ラッシュバレー行《い》きは キャンセルして もう少《すこ》し 中央《セントラル》に居《い》ろ
は?
まあ その
なんだ
腕《うで》 壊《こわ》れるかもっ つーか
うん
たぶん 壊《こわ》すっつーか
ほら
なぁ?
壊《こわ》す予定《よてい》 あるんかい!!!
これが 精神!?
あっ… あっ…
たましい が…!!
兄さーん!!

あー!! なんて事《こと》して くれんだよ!!
FooD
これじゃ商売《しょうばい》に なんねーだろ!!
すみません!! 弁償《べんしょう》します!!
あーあ こりゃ今日《きょう》は 休業《きゅうぎょう》だな
お困《こま》りの 様《よう》ですね!!
ジャ ジャ ジャ
ジャジャジャ
国《こっ》家《か》錬《れん》金《きん》術《じゅつ》師《し》
エドワード・エルリック参《さん》上《じょう》!!
ジャ
ぱん
このような 破壊《はかい》は ちょちょいの ちょいで
一《いっ》発《ぱつ》修《しゅう》理《り》!!
うおー!

すげーな ボウズ!!
ありがとう ございます!! お礼《れい》はいくら お払《はら》いすれば…
お礼《れい》?
そんなもの 無用《むよう》無用《むよう》!
HA HA HA HA HA
まぁ 本当《ほんとう》かい!?
大切《たいせつ》な壺《つぼ》を 壊《こわ》してしまったの
直《なお》して もらえるかしら
おやすい ご用《よう》さ!!
おおー
うおー
うわー

おおおおおおおおおおお
エドワード・エルリック!!
これ 直してくれー
あれもー
これもー
あなたの街《まち》の 国家錬金術師《こっかれんきんじゅつし》 エドワード・エルリックでございます!!
ざわ
訊《き》いたかい あの錬金術師《れんきんじゅつし》の話《はなし》
ざわ
無償《むしょう》で 人助《ひとだす》けしてるって
ざわ ざわ
エルリックったら あれだろ 最年少《さいねんしょう》の
ざわ
軍《ぐん》の狗《いぬ》なんて 税金《ぜいきん》を研究《けんきゅう》に バカスカ使《つか》って そのくせ国民《こくみん》にゃ 還元《かんげん》しないような奴《やつ》 ばかりだと思《おも》ってたよ
いい錬金術師《れんきんじゅつし》も いるんだな
おっと おじょうさん 鼻緒が 切れて…
どれ あっしが 錬金術で 直して さしあげやしょう
金《きん》 錬成《れんせい》して くんねーかなー
小《ちい》さい錬金術師《れんきんじゅつし》の エドワードさんが 街《まち》に!?
先生《せんせい》!!
いけません セリム様《さま》!
大総統閣下《だいそうとうかっか》には あなた様《さま》のお勉強《べんきょう》を しっかり見《み》るように 仰《おお》せ付《つ》かって おります!

小《ち》さい錬金術師《れんきんじゅつし》に会《あ》いたい――
ばたばた
小《ち》さいれんきんじゅつし――
小《ち》さいのー
豆《まめ》――
はい83ページ開《ひら》いて！
ぶえっくし!!
ふははは！街中《まちじゅう》オレの噂《うわさ》でもちきりのようだな！
うぃーちくしょい
鼻水ふけよ
さすがにこれだけ派手《はで》にやればねぇ
オレの評判《ひょうばん》は上《あ》がり傷《スカー》の男も釣《つ》れる
一石二鳥《いっせきにちょう》だぜ
あとは早《はや》く傷《スカー》の男の耳《みみ》に兄《にい》さんの名《な》が届《とど》くのを待《ま》つのみだね
キッ

ガラにも無《な》い事《こと》をしているな 鋼《はがね》の
地獄耳……
…ロス少尉《しょうい》の話《はなし》全部《ぜんぶ》聞いたぞ クソ大佐《たいさ》
ぼそ ぼそ
それはよかった
…………
ハボック少尉《しょうい》の事《こと》も聞《き》いた
…そうか
その件《けん》だけどドクター・マルコーなら治《なお》せるんじゃ…
待《ま》て
乗《の》りたまえ
情報交換《じょうほうこうかん》といこう

……やっぱり降《お》りたまえ
マルコーさんと賢者《けんじゃ》の石《いし》が行方不明《ゆくえふめい》!?
おそらく奴《やつ》らにさらわれたのだろう
なんで……
……くそっ!!
マルコーさんはかつて軍《ぐん》の研究所《けんきゅうじょ》で石《いし》を作《つく》っていた
それはイシュヴァールで利用《りよう》されたと言《い》っていた
賢者《けんじゃ》の石《いし》
人造人間《ホムンクルス》
軍《ぐん》の暗部《あんぶ》
イシュヴァール…
どういうつながりだ?

イシュヴァールで何《なに》があった!?
……イシュヴァールと言《い》えば傷《スカー》の男が来ているそうだな
鋼《はがね》の
ここ数日《すうじつ》の奴《やつ》にみつけてくれと言《い》わんばかりの行動《こうどう》はなんだ
みつけてほしいんだよ
奴《やつ》とはもう一度《いちど》闘《たたか》わなきゃならねぇ
バカを言《い》うな! イーストシティの闘《たたか》いを忘《わす》れたのか!?
あーらら傷《スカー》の男が怖《こわ》いんですかぁ?
け
ですよねぇ!! この前《まえ》は大佐殿《たいさどの》は役立《やくた》たずでいらっしゃいましたからねぇ!!
けけ
けけけけけけ
けけけけ
なめるな! 今日《きょう》は快晴《かいせい》だ!!
そのかわりヘロヘロじゃねーか
っとに毎度使えねーな!
うるさいな!!
カキン
!

出《で》た……!!
……来《き》てしまったではないか鋼《はがね》の……
どーした?雨《あめ》も降《ふ》ってねーのにびっしょりだぜ?

──っと待《ま》った中尉《ちゅうい》!!
撃《う》っちゃダメだ!!
ゴキン
大佐《たいさ》をマネて釣《つ》りしてみようかと思《おも》ってんだよ!!
何《なに》を言《い》ってるの!?

すみません
大佐《たいさ》
釣《つ》りだと？
兄《にい》さんをエサに
人造人間《ホムンクルス》を
引《ひ》っ張《ば》り出《だ》します
兄《にい》さんは
人造人間《ホムンクルス》にとって
死《し》なせてはならない
人材《じんざい》だから
何《なに》をバカな…
犠牲者《ぎせいしゃ》を
出《だ》さずに!!
進《すす》むって
決《き》めたんだ!!
ボクか兄《にい》さんが
エサになるしか
無《な》いでしょう!!
……ずいぶん
確率《かくりつ》の低《ひく》い
賭《か》けだな
人造人間《ホムンクルス》が
出《で》て来《く》る前《まえ》に
傷《スカー》の男《》が憲兵《けんぺい》に
撃《う》ち殺《ころ》されたら
どうする？
そこは ほら
大佐殿《たいさどの》が
上手《うま》くやって
くれるでしょう？

この私《わたし》をアゴで使《つか》うか
いい度胸《どきょう》だ!!
人造人間《ホムンクルス》を捕《つか》まえたら分《わ》け前《まえ》をよこせ!
了解《りょうかい》!!
パ
おおおおおりゃ!!

——ここは！
好都合《こうつごう》だ！
フュリー曹長《そうちょう》の別宅《べったく》があるぞ
急《いそ》げ！
はい
中央軍《セントラルぐん》です！その車《くるま》を徴集《ちょうしゅう》します！
はいっ!!
始《はじ》まった始《はじ》まった
さーて
いつでもいらっしゃい！

ドドン
そこの二人《ふたり》!!
退《ひ》いてください!!
撃《う》たないで!!
兄《にい》さんに
当《あ》たる!!
だから
退《ひ》いてってって!!
くっそ…
傷の男《スカー》が
撃《う》たれちゃ
元《もと》も子《こ》も
無《ね》えからな…
付《つ》かず離《はな》れず
闘《たたか》わなきゃ
ならねえってのは…
……っとお!!

しんどい!!
はやく人造人間《ホムンクルス》を見《み》つけてくれリン!!
憲兵司令部《けんぺいしれいぶ》のチャンネル…
あった!!
流石《さすが》だなフュリーめ
こちら中央《セントラル》3区《く》憲兵隊《けんぺいたい》
現在《げんざい》傷の男《スカー》と交戦中《こうせんちゅう》!
至急《しきゅう》応援求《おうえんもと》む
くり返《かえ》す 至急《しきゅう》応援求《おうえんもと》む!
うあっ!! 貴様《きさま》 何《なに》をする!!
ぐわっやられた
ブツン
よし!次《つぎ》は17区《く》だ!
はははは楽《たの》しくなって来《き》たぞ!!

何《なに》がどうなってる!!
17区《く》にも傷《スカー》の男!?
聞いてないぞと!?
そんな奴は知らん!!
外回り組は!?
じゃあ3区《く》のはなんだ!?
ダグラス大佐《たいさ》! 8区《く》にも出《で》ました!
市民から通報あり
……3人《にん》いるだと!?
中央《セントラル》憲兵司令部《けんぺいしれいぶ》より第《だい》8区《く》へ
傷《スカー》の男と少年《しょうねん》が交戦中《こうせんちゅう》!!
少年《しょうねん》は国家錬金術師《こっかれんきんじゅつし》!! 発砲《はっぽう》はするな!!
確認よろしく!
誤報《ごほう》が飛《と》び交《か》っている
なんだ4人目《にんめ》の傷《スカー》の男って
こちら3区!!
グラトニー
ガッ ガッ ガッ
ぬうっ
におうよ におうよ

この前《まえ》食《た》べそこねたイシュヴァール人《じん》のにおい…!!
あっちにいるよ…!!
出《で》た!!

くっ…
どっちだ!?
人体《じんたい》破壊《はかい》か
機械鎧《オートメイル》破壊《はかい》か…
兄《にい》さん!!
南無三《なむさん》!!

あでっ!!
む…おっ!?

……ふーー!!
ラッキー!!
分解《ぶんかい》エネルギーの相殺《そうさい》!?
無茶《むちゃ》するなぁ!!
……!!
右《みぎ》腕《うで》の入《い》れ墨《ずみ》…!!

野郎《やろう》……
まさか本当《ほんとう》にウィンリィの…………!!
ゴッ
ドシャアアアアア

掲載・月刊少年ガンガン平成17年1月号〜4月号

ズラァァ
邪魔《じゃま》な能力《のうりょく》だ
排除《はいじょ》する
人間《にんげん》
貴様《きさま》には用《よう》は無《な》イ
去《さ》レ…
!
!?

ランファン
逃《に》げろ!!!
鋼の錬金術師11 おわり

FULLMETAL
ALCHEMIST

帰って来たあんちくしょう（おみやげ付）

鋼の錬金術師 11
すぺしゃるさんくす～

髙枝景水 さん
ひのでや三吉 つぁん
杜康潤 さん
あいかわーぼーる さん
のの さん
上遠野洋一 アニィ

担当 下村裕一 氏

AND YOU!!

予告《よこく》
真《しん》実《じつ》を求《もと》め……
猛《たけ》る者《もの》たち!!
やあ
Fullmetal Alchemist
鋼《はがね》の錬金術師《れんきんじゅつし》君《くん》

捕《と》ったぞ人造人間《ホムンクルス》!!
見《み》事《ごと》なり!!
イシュヴァール人《じん》みつけたあ!!
ろぉ
エルリック兄弟《きょうだい》×軍部《ぐんぶ》×大国《たいこく》シン! 共同戦線開始《きょうどうせんせんかいし》!
しかし圧倒的《あっとうてき》な戦闘力《せんとうりょく》をほこる人造人間《ホムンクルス》たち!
極限《きょくげん》の戦《たたか》いの中《なか》で、エドたちが
人造人間《ホムンクルス》の秘密《ひみつ》を手《て》にするために、失《うしな》った代償《だいしょう》は…!?
鋼《はがね》の錬《れん》金《きん》術《じゅつ》師《し》
HAGANE no RENKINJUTSUSHI
第《だい》12巻《かん》
2005年《ねん》11月《がつ》発売予定《はつばいよてい》!! 乞《こ》うご期待《きたい》!

ガンガンコミックス

鋼の錬金術師《はがねのれんきんじゅつし》
FULLMETAL ALCHEMIST

鋼の錬金術師 11

2005年8月22日 初版
2005年10月1日 3刷

著　者　　荒川 弘

発行人
田口浩司
発行所
株式会社スクウェア・エニックス

〒151-8544 東京都渋谷区代々木3-22-7 新宿文化クイントビル3階
〈内容についてのお問い合わせ〉 TEL 03(5333)0835
〈販売・営業に関するお問い合わせ〉 TEL 03(5333)0832
FAX 03(5352)6464

印刷所　図書印刷株式会社

ISBN4-7575-1496-4 C9979

少年ガンガン 月刊
GANGAN
毎月12日発売!!
鋼の錬金術師
●荒川 弘
好評連載中
好評連載中
まほらば
●小島あきら
月刊ガンガンWING
ウイング
毎月26日発売!!
月刊Gファンタジー
GFantasy
毎月18日発売!!
ぱにぽに
●氷川へきる
好評連載中
TVアニメ
ぱにぽにだっしゅ!
絶賛放送中!!
好評連載中
ドラゴンクエスト列伝 ロトの紋章
～紋章を継ぐ者達へ～
●作画：藤原カムイ 脚本：映島 巡 監修：堀井雄二
ヤングガンガン
YOUNG GANGAN
毎月第1・第3金曜日発売!!
©2004 SQUARE ENIX CO.,LTD.All Rights Reserved.